Louise L. Hay

D1414600

Gesundheit für Körper und Seele

Aus dem Amerikanischen
von Viktoria Renner,
Karl Friedrich Hörner
und Thomas Görden

Ullstein

Besuchen Sie uns im Internet:
www.ullstein-taschenbuch.de

Allegria im Ullstein Taschenbuch

Ullstein Taschenbuch ist ein Verlag der
Ullstein Buchverlage GmbH, Berlin
Neuausgabe im Ullstein Taschenbuch
4. Auflage 2014
© der deutschsprachigen Ausgabe 2005
by Ullstein Buchverlage GmbH, Berlin
© der Originalausgabe YOU CAN HEAL YOUR LIFE
1999 by Louise L. Hay
Umschlaggestaltung und Illustration: Geviert - Büro für
Kommunikationsdesign, München, Conny Hepting
Gesetzt aus der Tiepolo
Satz: Keller & Keller GbR
Papier: Pamo Super von Arctic Paper Mochenwangen GmbH
Druck und Bindearbeiten: GGP Media GmbH, Pößneck
Printed in Germany
ISBN 978-3-548-74600-5

Möge Ihnen dieses Angebot helfen,
den Ort in Ihnen zu finden,
wo Sie Ihren Selbstwert erkennen,
denjenigen Teil von Ihnen,
der reine Liebe und Selbstakzeptanz ist.

Inhalt

Danksagung

Ich danke mit Freude und Vergnügen:

Meinen zahlreichen Schülern und Klienten, die mir so viel beigebracht und mich als Erste ermutigt haben, meine Gedanken zu Papier zu bringen.

Meinen engagierten Mitarbeitern bei Hay House, die meine Vision mit mir teilen, Bücher, Audioproduktionen und Videos zu verbreiten, die dabei helfen, den Planeten spirituell, emotional und physisch zu heilen.

Meinen wunderbaren Lesern und Zuhörern, die so viel liebevolle Unterstützung für meine Arbeit gezeigt haben und eine ständige Quelle der Inspiration für mich sind.

All jenen, deren Herzen sich jeden Tag mehr und mehr öffnen.

Meinen lieben Freunden auf der ganzen Welt, die mich mit bedingungsloser Liebe, Lachen und ansteckender Lebensfreude umgeben!

Vorwort

Wenn es mich auf eine einsame Insel verschlüge und ich nur ein Buch mit dahin nehmen könnte, würde ich mich wohl für Louise L. Hays *Gesundheit für Körper und Seele* entscheiden.

Es ist nicht nur die wesentliche Erkenntnis einer großen Lehrerin, es ist auch die kraftvolle und sehr persönliche Aussage einer bedeutenden Dame.

Louise lässt uns in diesem wunderbaren neuen Buch daran teilhaben, wie sie ihr jetziges Entwicklungsstadium erreichte. Bewunderung für und Mitgefühl mit ihrer Geschichte hallten in mir wider - hier nur kurz angedeutet, wie ich meine, aber vielleicht ist dies ein anderes Buch.

Ich meine, dass hier alles steht. Hier steht wirklich alles, was Sie über das Leben wissen müssen, seine Lektionen und wie Sie an sich selbst arbeiten können. Und das schließt Louises Nachschlageverzeichnis für dem Unwohlsein zugrunde liegende geistige Verhaltensmuster mit ein – etwas, was nach meiner Erfahrung wirklich bemerkenswert und überaus einzigartig ist. Ein Mensch auf einer einsamen Insel, der dieses Manuskript in einer Flasche fände, könnte alles lernen, was er wissen müsste, um sein Leben meisterhaft zu gestalten.

Verlassene Insel oder nicht, wenn Sie den Weg zu Louise Hay gefunden haben, vielleicht sogar »zufällig«, sind Sie bereits auf dem richtigen Weg. Louises Bücher, ihre bemerkenswerten Therapie-Tonbänder und ihre inspirierenden Seminare sind wunderbare Gaben an eine sorgenvolle Welt. Mein eigener Einsatz bei der Arbeit mit aidsinfizierten Menschen führte mich zu einem Treffen mit Louise und veranlasste mich, Konzepte aus ihrer therapeutischen Arbeit anzuwenden.

Jede aidsinfizierte Person, mit der ich arbeitete und der ich Louises Tonband »Ein positiver Umgang mit AIDS« vorspielte, erfasste Louises Botschaft beim ersten Hören - und viele machten das Abspielen dieses Tonbandes zu einem Teil ihres täglichen Heilungsrituals.

Ein Mann namens Andrew erzählte mir: »Ich gehe mit Louise zu Bett und stehe jeden Morgen ihretwegen auf!«

Mein Respekt und meine Liebe zu Louise wuchsen, während ich meine geliebten Aidspatienten beobachtete. Denn sie hatten Louise in ihrem Leben gehabt, sodass sie bereichert, friedlich und ohne Entbehrungen sterben konnten. Sie waren erfüllt von größerer Liebe und Vergebung für sich und alle anderen. Ich empfand stillen Respekt, weil Louise ihnen diese Lernerfahrung ermöglicht hat.

In meinem Leben sind mir viele große Lehrer geschenkt worden, einige von ihnen Heilige, dessen bin ich mir sicher, und vielleicht sogar Avatare. Louise jedoch ist eine große Lehrerin, mit der man sprechen kann wegen ihrer enormen Fähigkeit zuzuhören und ihrer bedingungslosen Zuneigung, während man sich den Abwasch teilt. (Ganz ähnlich ist es mit einem anderen Lehrer, den ich für ebenso groß halte und der einen tollen Kartoffelsalat zubereitet.) Louise lehrt durch ihr Beispiel und lebt, was sie lehrt.

Ich fühle mich tief geehrt, Sie einzuladen, dieses Buch zu einem Teil Ihres Lebens zu machen. Sie - und es - sind es wert!

Dave Braun - *Wagnisse zur Selbsterfüllung*
Dana Point, Kalifornien   September 1984

Teil 1
Einführung

Rat an meine Leser

Ich habe dieses Buch geschrieben, um mit Ihnen, meine Leser, zu teilen, was ich weiß und lehre. Mein kleines blaues Buch *Heile Deinen Körper*, erschienen im Verlag Alf Lüchow, wurde in weiten Kreisen als maßgebendes Buch über geistige Verhaltensmuster, die Krankheiten im Körper verursachen, anerkannt.

Ich habe Hunderte von Leserbriefen erhalten, in denen ich gebeten werde, mehr von meinen Erkenntnissen mit anderen zu teilen. Viele Menschen, die als Klienten mit mir gearbeitet, oder diejenigen, die hier und im Ausland an meinen Seminaren teilgenommen haben, haben mich darum gebeten, dass ich mir die Zeit nehme, dieses Buch zu schreiben.

Ich habe dieses Buch so konzipiert, als ob ich Sie durch eine Sitzung führte, wenn Sie als Klient zu mir kämen oder an einem meiner Seminare teilnähmen.

Wenn Sie fortschreitend eine Übung nach der anderen praktizieren, so, wie sie hier erscheinen, werden Sie am Ende des Buches mit der Veränderung angefangen haben.

Ich schlage vor, dass Sie dieses Buch einmal komplett durchlesen. Dann lesen Sie es langsam noch einmal, praktizieren aber diesmal intensiv die Übungen. Nehmen Sie sich die Zeit, mit jeder einzelnen zu arbeiten.

Wenn möglich, arbeiten Sie die Übungen mit einem Freund oder einem Familienmitglied durch.

Jedes Kapitel beginnt mit einer Affirmation. Jede ist gut anwendbar, wenn Sie am entsprechenden Bereich Ihres Lebens arbeiten. Sie benötigen für jedes Kapitel zwei oder drei Tage, um es genau zu lesen und danach zu arbeiten. Sagen und schreiben Sie immer wieder die Affirmation, die das Kapitel eröffnet. Die Kapitel enden mit einer Heilbehandlung. Dabei handelt es sich um eine Abfolge positiver Gedanken, die Sie zur Veränderung Ihres Bewusstseins anregen. Lesen Sie die Heilbehandlung mehrmals täglich.

Ich schließe das Buch damit, Ihnen meine eigene Geschichte zu erzählen. Ich weiß, Sie werden erkennen, dass, gleichgültig woher wir kommen oder wie tief unten wir sind, wir unser Leben vollständig zum Besseren verändern können.

Seien Sie gewiss, dass, wenn Sie mit diesen Gedanken arbeiten, meine liebende Unterstützung bei Ihnen ist.

Einige Punkte meiner Philosophie

Jeder von uns ist vollständig selbst verantwortlich
für jede seiner Erfahrungen.

Jeder Gedanke, den wir denken,
gestaltet unsere Zukunft.
Die Macht zur Veränderung liegt immer in der Gegenwart.
Jeder leidet an Selbsthass und Schuldgefühlen.

Alle denken insgeheim:
»Ich bin nicht gut genug.«
Es ist nur ein Gedanke,
und ein Gedanke kann verändert werden.
Verbitterung, Kritik und Schuld sind die
Verhaltensmuster, die den größten Schaden anrichten.

Sich von Verbitterung zu befreien
kann sogar Krebs heilen.
Wenn wir uns wirklich selbst lieben,
funktioniert alles in unserem Leben.

Wir müssen uns von der Vergangenheit lösen
und jedem vergeben.

Wir müssen lernen,
uns selbst zu lieben.

Selbstbejahung ist der Schlüssel zu
positiven Veränderungen.

Wenn wir uns wirklich selbst lieben,
funktioniert alles in unserem Leben.

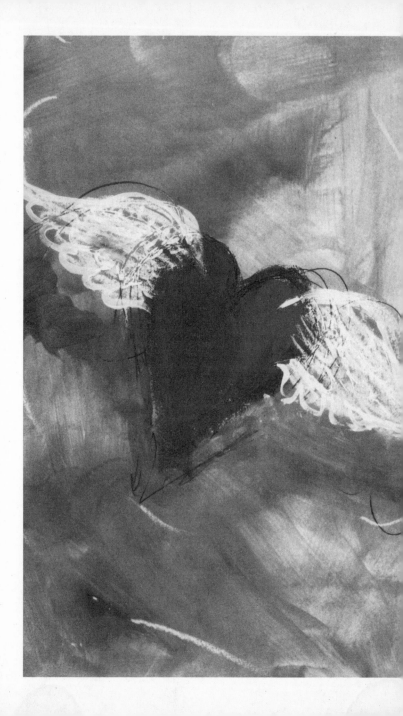

In der Unendlichkeit des Lebens,
dort, wo ich bin, ist alles heil und vollkommen,
und trotzdem befindet sich das Leben
immer in Veränderung.

✳

Es gibt keinen Anfang und kein Ende,
nur einen beständigen Kreislauf und ein
Wiederkehren von Materie und Erfahrungen.

✳

Das Leben ist niemals festgefahren,
statisch oder aufgebraucht,
denn jeder Moment ist
immer neu und taufrisch.

✳

Ich bin eins mit derjenigen Macht,
die mich geschaffen hat,
und diese Macht hat mir die Kraft gegeben,
meine Lebensumstände selbst zu gestalten.
Ich erfreue mich an der Erkenntnis,
die Macht über meinen Geist zu haben,
ihn auf jede Art, die ich wähle,
zu benutzen.

✳

Jeder Augenblick des Lebens ist ein
neuer Anfangspunkt, an dem wir das Alte verlassen.
Dieser Augenblick ist genau hier und genau jetzt
ein neuer Anfangspunkt für mich.
Alles ist gut in meiner Welt.

I

Was ich glaube

*»Die Tore zu Weisheit und Wissen
stehen immer offen.«*

Das Leben ist wirklich sehr einfach.
Was wir geben, bekommen wir zurück

Was wir über uns denken, wird Wahrheit für uns. Ich glaube,
jeder, ich selbst eingeschlossen, ist hundertprozentig verantwortlich für alles in seinem Leben, für das Beste und das
Schlechteste. Jeder Gedanke, den wir denken, gestaltet unsere Zukunft. Jeder von uns gestaltet seine Erfahrungen mit
seinen Gedanken und mit seinen Gefühlen. Die Gedanken,
die wir denken, und die Wörter, die wir sprechen, gestalten
unsere Erfahrungen.

Wir gestalten unsere Lebensumstände, und dann geben
wir unsere Macht ab, indem wir andere Personen für unsere
Frustrationen verantwortlich machen. Keine Person, kein

Ort und keine Sache hat irgendeine Macht über uns, denn »wir« sind die einzigen Denker in unserem Geist. Wenn wir unser Bewusstsein mit Frieden, Harmonie und Ausgeglichenheit anfüllen, werden wir sie auch in unserem Leben finden. Welche dieser Aussagen klingt ganz nach Ihnen?

»Die Leute sind nur darauf aus, mich auszunutzen.«
»Jeder ist immer hilfsbereit.«

Diese Glaubenssätze bringen ziemlich unterschiedliche Erfahrungen hervor. Was wir über uns und das Leben annehmen, wird für uns zur Wahrheit.

Das Universum gibt uns
volle Unterstützung bei jedem Gedanken,
den wir wählen und an den wir glauben

Anders gesagt: Unser Unterbewusstsein akzeptiert unsere Entscheidung, was immer wir glauben. Beides bedeutet, dass sich das, was ich über mich und das Leben glaube, für mich bewahrheiten wird. Sie selbst entscheiden, was Sie über sich und das Leben glauben wollen, und das wird dann für Sie wahr. Und wir haben eine unbegrenzte Auswahlmöglichkeit an Gedanken.

Wenn wir das erkannt haben, ist es vernünftig, »Jeder ist immer hilfsbereit« zu wählen statt »Die Leute sind nur darauf aus, mich auszunutzen«.

Die Macht des Universums verurteilt oder kritisiert uns niemals

Sie akzeptiert uns so, wie wir uns selbst einschätzen. Dann spiegelt sie unsere Lebensanschauung wider. Wenn ich glauben will, dass das Leben Einsamkeit bedeutet und dass mich niemand liebt, dann werde ich genau das in meiner Welt wiederfinden.

Wenn ich jedoch dazu bereit bin, mich von dieser Überzeugung zu lösen und stattdessen zu bejahen, dass »Liebe überall ist und dass ich liebe und liebenswert bin«, und wenn ich an dieser neuen Aussage festhalte und sie oft wiederhole, dann wird sie sich für mich bewahrheiten. Dann werden mir liebevolle Menschen begegnen, und die Menschen, die sich bereits in meinem Leben befinden, werden mir gegenüber noch liebevoller sein. Ich werde an mir feststellen, dass es mir leichtfällt, anderen gegenüber Liebe zum Ausdruck zu bringen.

Die meisten von uns haben dumme Vorstellungen davon, wer wir sind, und viele, viele starre Regeln darüber, wie das Leben gelebt werden sollte

Deswegen sollte man niemanden verurteilen, denn jeder von uns tut in genau diesem Augenblick nach seinem Vermögen das Allerbeste. Wenn wir es besser wüssten, wenn wir mehr Verständnis und Bewusstsein hätten, dann würden wir anders handeln. Bitte machen Sie sich niemals Vorwürfe für Ihre vielleicht momentan schlechte Lage. Allein die Tatsache, dass Sie dieses Buch gefunden und mich entdeckt haben, bedeutet, dass Sie bereit sind, eine positive Veränderung in Ihrem Leben zu vollziehen. Loben Sie sich dafür. »Männer weinen nicht!« »Frauen können nicht mit Geld umgehen!« Was für einengende Vorstellungen vom Leben!

Als Kinder lernen wir
an den Reaktionen der Erwachsenen,
was wir uns selbst und dem
Leben gegenüber empfinden sollen

Es kommt darauf an, was man uns beibringt, über uns und die Welt zu glauben. Wenn Sie mit Menschen gelebt haben, die sehr unglücklich und verängstigt waren, sich schuldig fühlten oder ständig wütend waren, dann haben Sie viel Negatives über sich und die Welt gelernt.

»Ich mache nie etwas richtig.« »Das ist mein Fehler.« »Wenn ich mich ärgere, bin ich ein schlechter Mensch.«

Derartige Überzeugungen bringen ein frustrierendes Leben hervor.

Wenn wir erwachsen werden, neigen wir dazu, die emotionale Umgebung unserer Kindheit wiederzuerschaffen

Das ist weder gut noch schlecht, weder richtig noch falsch; es ist einfach das, was wir innerlich als »Zuhause« kennen. Wir neigen auch dazu, unsere persönlichen Beziehungen wieder so zu gestalten, wie unsere Beziehung zu unserer Mutter oder unserem Vater oder deren Beziehung untereinander war. Überlegen Sie einmal, wie oft Sie einen Freund oder Vorgesetzten hatten, der »genau wie« Ihre Mutter oder Ihr Vater war. Wir behandeln uns auch so, wie unsere Eltern uns behandelt haben. Wir beschimpfen und strafen uns auf dieselbe Art. Hören Sie sich selbst zu, dann werden Sie darin die Stimmen Ihrer Eltern wiedererkennen. Wir lieben und ermutigen uns auch auf die gleiche Art, falls wir als Kinder überhaupt geliebt und ermutigt wurden.

»Ich mache nie etwas richtig.« »Alles ist meine Schuld.« Wie oft haben Sie das schon zu sich selbst gesagt?

»Du bist wunderbar.« »Ich liebe mich.« Wie oft sagen Sie sich so etwas?

Ich würde jedoch unseren Eltern deswegen keinen Vorwurf machen

Wir sind alle Opfer von Opfern, und sie konnten uns unmöglich etwas beibringen, was sie nicht gewusst haben. Wenn Ihre Mutter nicht gelernt hatte, sich zu lieben, oder Ihr Vater das nie gelernt hatte, dann war es Ihren Eltern unmöglich, Ihnen Selbstliebe beizubringen. Sie haben ihr Bestmögliches mit dem geleistet, was ihnen als Kindern beigebracht worden war. Wenn Sie Ihre Eltern besser verstehen wollen, dann lassen Sie sie von ihrer Kindheit erzählen; und wenn Sie einfühlsam zuhören, werden Sie erfahren, woher ihre Ängste und starren Verhaltensmuster kommen. Diese Menschen, die Ihnen »alle diese Dinge angetan haben«, waren genauso verschreckt und verängstigt, wie Sie es heute sind.

Ich glaube,
dass wir uns unsere Eltern aussuchen

Jeder von uns entscheidet sich an einem bestimmten Punkt in Zeit und Raum dafür, auf diesem Planeten zu inkarnieren. Wir haben uns dazu entschlossen, hierherzukommen, um eine bestimmte Lektion zu lernen, die uns in unserer geistigen Entwicklung vorwärts bringen wird. Wir wählen unser Geschlecht, unsere Hautfarbe, unser Land. Dann schauen wir nach demjenigen Elternpaar, das die Verhaltensmuster widerspiegelt, die wir mitbringen, um daran während unseres Lebens zu arbeiten. Wenn wir herangewachsen sind, zeigen wir üblicherweise anklagend mit dem Finger auf unsere Eltern und jammern: »Ihr habt mir das angetan.« Aber in Wirklichkeit haben wir sie uns selbst ausgesucht, weil sie genau das darstellten, was wir überwinden wollten.

Schon als sehr kleine Kinder beginnen wir, unser System von Glaubenssätzen zu erwerben. Als Erwachsene erschaffen wir uns dann genau die Erfahrungen, die zu diesen Überzeugungen passen. Schauen Sie auf Ihr eigenes Leben zurück und stellen Sie fest, wie oft Sie dieselben Erfahrungen gemacht haben. Nun gut, ich glaube, dass Sie sich diese Erfahrungen immer wieder geschaffen haben, weil sie etwas widerspiegelten, was Sie über sich selbst glaubten.

Es spielt wirklich keine Rolle, wie lange wir schon ein Problem haben oder wie groß oder wie lebensbedrohlich es ist.

Die Macht zur Veränderung liegt immer in der Gegenwart

Alles, was sich bis zum jetzigen Zeitpunkt in Ihrem Leben ereignet hat, ist durch Ihre Gedanken und Überzeugungen, an denen Sie in der Vergangenheit festgehalten haben, ver-

ursacht worden. Es wurde durch Gedanken und Wörter hervorgerufen, die Sie gestern, letzte Woche, letzten Monat, letztes Jahr oder vor 10, 20, 30, 40 Jahren oder mehr benutzt haben – je nachdem, wie alt Sie sind.

Dies gehört jedoch der Vergangenheit an. Sie ist vorbei und abgeschlossen. In diesem Moment ist wichtig, für welche Gedanken, Überzeugungen und Aussagen Sie sich hier und jetzt entscheiden. Denn diese Gedanken und Worte werden Ihre Zukunft gestalten. Vom gegenwärtigen Augenblick aus gestalten Sie Ihre Erfahrungen von morgen, nächster Woche, nächstem Monat, nächstem Jahr und so fort. Welchen Gedanken denken Sie jetzt in diesem Augenblick? Ist er negativ oder positiv? Wollen Sie, dass dieser Gedanke Ihre Zukunft gestaltet? Achten Sie bewusst darauf, was Sie denken.

Alles, womit wir es zu tun haben, sind Gedanken, und Gedanken lassen sich verändern

Unsere Erfahrungen sind lediglich äußere Folgen innerer Gedanken – egal, um welches Problem es sich handelt. Sogar Selbsthass ist nur ein hasserfüllter Gedanke, den Sie über sich denken. Sie haben einen Gedanken, der sagt: »Ich bin ein schlechter Mensch.« Dieser Gedanke erzeugt ein Gefühl, dem Sie sich unterwerfen. Wenn Sie den Gedanken jedoch nicht haben, werden Sie auch dieses Gefühl nicht haben. Und Gedanken können verändert werden. Verändern Sie den Gedanken, und das Gefühl wird verschwinden.

Das soll uns nur zeigen, woher viele unserer Überzeugungen kommen. Aber lassen Sie uns diese Kenntnis nicht als Vorwand benutzen, in unserem Schmerz zu verharren. Die Vergangenheit hat keine Macht über uns. Es spielt daher keine Rolle, wie lange wir ein negatives Verhaltensmuster haben. Unsere Macht, etwas zu verändern, liegt immer in der Gegenwart. Wie wunderbar, das zu erkennen! Von diesem Augenblick an beginnen wir, frei zu sein.

Ob Sie es glauben oder nicht, wir suchen uns unsere Gedanken tatsächlich selbst aus

Wir denken vielleicht aus Gewohnheit denselben Gedanken immer wieder, sodass es scheint, als würden wir uns den Gedanken nicht aussuchen. Aber die ursprüngliche Wahl haben tatsächlich wir selbst getroffen.

Wir können uns weigern, bestimmte Gedanken zu denken. Überlegen Sie nur, wie oft Sie sich widersetzt haben,

einen positiven Gedanken über sich zu denken. Nun gut, Sie können sich auch widersetzen, einen negativen Gedanken über sich zu denken.

Mir kommt es so vor, als ob auf diesem Planeten jeder, den ich kenne oder mit dem ich gearbeitet habe, unterschiedlich stark an Selbsthass oder Schuldgefühlen leidet. Je mehr Selbsthass und Schuldgefühle wir empfinden, desto weniger funktioniert unser Leben. Je weniger Selbsthass und Schuldgefühle wir empfinden, desto besser funktioniert unser Leben auf allen Ebenen.

Die am tiefsten verinnerlichte Überzeugung bei allen, mit denen ich bisher gearbeitet habe, war: »Ich bin nicht gut genug!«

Dem fügen wir oft noch hinzu: »Ich tue nicht genug.« Oder: »Ich verdiene es nicht.« Klingt das nach Ihnen? Sagen, denken oder fühlen Sie oft, dass »Sie nicht gut genug sind«? Aber für wen? Und gemessen an welchen Maßstäben?

Wenn in Ihnen diese Überzeugungen sehr stark ausgeprägt sind, wie können Sie sich dann ein liebevolles, fröhliches, erfolgreiches, gesundes Leben erschaffen? Irgendwie wird Ihre wichtigste unterbewusste Überzeugung dem ständig widersprechen. Irgendwie würden Sie sich nie richtig verhalten, denn irgendwo würde immer etwas falsch laufen.

Ich meine, dass Verbitterung, Kritik,
Schuld und Angst
mehr Probleme verursachen
als irgendetwas sonst

Diese vier Dinge verursachen die Hauptprobleme in unserem Körper und unserem Leben. Diese Gefühle kommen daher, dass wir anderen Vorwürfe machen und nicht die Verantwortung für unsere eigenen Erfahrungen übernehmen. Sehen Sie, wenn wir alle für alles in unserem Leben selbst verantwortlich sind, dann gibt es niemanden, dem man Vorwürfe machen kann. Was auch immer »da draußen« geschieht, ist nur ein Spiegel unseres eigenen inneren Denkens. Ich entschuldige hiermit nicht das armselige Verhalten anderer Menschen, aber es sind schließlich *unsere Überzeugungen,* die diese Menschen anziehen, von denen wir dann solchermaßen behandelt werden.

Wenn Sie sich dabei ertappen zu sagen: »Jeder verhält sich mir gegenüber so und so, kritisiert mich, ist nie für mich da, benutzt mich als Fußabtreter«, dann ist dies *Ihr Verhaltensmuster.* Es gibt in Ihnen irgendwelche Gedanken, die Menschen anziehen, die dieses Verhalten an den Tag legen. Wenn Sie nicht länger so denken, werden Sie diese Personen nicht länger in Ihr Leben ziehen.

Ich will Ihnen einige Folgen solcher Verhaltensmuster auf der körperlichen Ebene nennen: Lange anhaltende Verbitterung kann am Körper zehren und zu der Krankheit führen, die wir Krebs nennen. Kritik als ständige Gewohnheit ruft im Körper häufig Arthritis hervor. Schuldgefühle ziehen immer Strafe nach sich, und Strafe verursacht Schmerz. (Wenn ein Klient mit starken Schmerzen zu mir kommt, weiß ich, dass er unter schweren Schuldgefühlen leidet.) Angst und die durch sie hervorgerufene Anspannung kann Haarausfall, Magengeschwüre und sogar wunde Füße verursachen.

Ich habe herausgefunden, dass Vergebung und das Auflösen von Verbitterung sogar Krebs heilen. Das mag zu einfach klingen, aber ich habe die Erfahrung gemacht, dass es funktioniert.

Wir können auch unsere Haltung der Vergangenheit gegenüber verändern

Die Vergangenheit ist vorüber und erledigt. Wir können sie jetzt nicht mehr ändern. Wir können jedoch unsere Gedanken über die Vergangenheit ändern. Wie dumm von uns, dass wir uns in der Gegenwart *selbst bestrafen,* weil uns jemand in längst vergangener Zeit verletzt hat.

Ich sage oft zu Menschen, die intensiven Unmut in sich tragen: »Bitte fangen Sie jetzt an, diesen Unmut abzubauen, solange es noch relativ einfach ist. Bitte warten Sie nicht, bis das Skalpell des Chirurgen droht oder bis zu Ihrem Sterbebett, wenn auch noch Panik hinzukommen könnte.«

Wenn wir uns in einem Zustand der Panik befinden, ist es sehr schwierig, unsere Gedanken auf die heilende Arbeit zu konzentrieren. Wir müssen uns zunächst die Zeit nehmen, uns von unseren Ängsten zu befreien.

Wenn wir uns entscheiden zu glauben, wir seien hilflose Opfer und alles sei hoffnungslos, dann wird uns das Universum in diesem Glauben unterstützen und wir werden hoffnungslos untergehen. Es ist lebenswichtig, dass wir uns von diesen dummen, veralteten, negativen Gedanken und Überzeugungen lösen, die uns nicht unterstützen und uns keine Kraft geben. Sogar unsere Vorstellung von Gott muss eine sein, die *für* uns und nicht gegen uns wirkt.

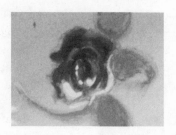

Um uns von der Vergangenheit zu lösen, müssen wir zur Vergebung bereit sein

Wir müssen uns dafür entscheiden, uns von der Vergangenheit zu lösen und jedem zu vergeben, auch uns selbst. Wir wissen vielleicht nicht, wie man vergibt, und wir wollen vielleicht nicht vergeben; aber allein die Tatsache, dass wir sagen, wir seien willens zu vergeben, ist schon der Beginn der Heilung. Es ist für unsere eigene Heilung unerlässlich, dass »wir« uns von der Vergangenheit lösen und jedem vergeben.

»Ich vergebe dir, dass du nicht so bist, wie ich dich haben wollte. Ich vergebe dir und gebe dich frei.«

Diese Affirmation befreit *uns*.

Alle Krankheiten entstehen durch einen Zustand des Nichtvergebens

Wenn wir krank sind, sollten wir in uns gehen und uns fragen, wem wir unbedingt vergeben müssen.

In *Ein Kurs in Wundern* heißt es, dass »alle Krankheiten durch einen Zustand des Nichtvergebens entstehen« und dass »wir, wann immer wir krank sind, schauen müssen, wem wir vergeben sollten«.

Ich würde noch hinzufügen, dass gerade der Mensch, dem zu vergeben Ihnen am schwersten fällt, derjenige ist, den Sie am meisten loslassen sollten. Vergebung heißt aufgeben, loslassen. Es hat nichts damit zu tun, Verhalten zu entschuldigen. Es heißt nur, die ganze Sache loszulassen. Wir brauchen nicht zu wissen, *wie* man vergibt. Alles, was wir tun müssen, ist, *willens* zu sein, zu vergeben. Das Universum wird sich des »*Wie*« annehmen.

Wir verstehen unseren eigenen Schmerz so gut. Wie schwer ist es für die meisten von uns zu verstehen, dass *sie,* wer auch immer sie sein mögen, jene, die am stärksten unserer Vergebung bedürfen, auch gelitten haben. Wir müssen verstehen, dass sie ihr Bestmögliches geleistet haben mit dem Verständnis, dem Bewusstsein und Wissen, das ihnen zu jener Zeit zur Verfügung stand.

Wenn Menschen mit einem Problem zu mir kommen, interessiert es mich nicht, was es ist – instabile Gesundheit, Geldmangel, unbefriedigende Beziehungen oder unterdrückte Kreativität. Es gibt nur eine Sache, an der ich immer arbeite, und das ist *die Selbstliebe.*

Wenn wir uns *genau so* lieben und akzeptieren, *wie wir sind,* funktioniert einfach alles im Leben.

Es ist, als ob überall kleine Wunder geschehen. Unsere Gesundheit bessert sich, wir kommen zu mehr Geld, unsere Beziehungen werden erfüllter und wir fangen an, uns auf erfüllende Weise kreativ auszudrücken. Und all dies manifestiert sich dann fast wie von selbst, auch ohne unser angestrengtes Bemühen.

Selbstliebe, Wertschätzung, sich einen Raum der Geborgenheit, des Vertrauens und der Akzeptanz schaffen – das alles wird Ordnung in Ihr Denken bringen. Sie werden liebevolle Beziehungen in Ihrem Leben aufbauen, eine neue Arbeitsstelle und einen neuen besseren Wohnort finden, und sogar Ihr Körpergewicht wird sich normalisieren. Menschen, die sich und ihren Körper lieben, missbrauchen weder sich noch andere.

Selbstanerkennung und Selbstakzeptanz im Jetzt sind die Hauptschlüssel zu positiven Veränderungen in allen Lebensbereichen.

In meinen Augen beginnt die Selbstliebe damit, sich nie und nimmer wegen irgendetwas zu kritisieren. Kritik bindet uns genau an das Verhaltensmuster, das wir doch eigentlich verändern wollen. Verständnis und Nachsicht uns selbst gegenüber helfen, uns davon zu lösen. Denken Sie daran, Sie haben jahrelang Selbstkritik geübt, und es hat nicht funktioniert. Versuchen Sie, sich wertzuschätzen, und sehen Sie, was dann geschieht.

In der Unendlichkeit des Lebens,
dort, wo ich bin, ist alles heil und vollkommen.

✳

Ich glaube an eine Macht,
die viel größer ist als ich und die mich jeden Moment
des Tages durchströmt.

✳

Ich öffne mich der darin enthaltenen Weisheit,
wissend, dass es nur eine Intelligenz in diesem
Universum gibt. Von dieser Intelligenz kommen alle
Antworten, alle Lösungen, alle Heilungen,
alle neuen Schöpfungen.

✳

Ich vertraue dieser Macht und Intelligenz,
wissend, dass mir offenbart wird,
was immer ich wissen muss, und dass alles,
was ich benötige, zum richtigen Zeitpunkt,
am richtigen Ort und in richtiger Folge
zu mir kommt.

✳

Alles ist gut in meiner Welt.

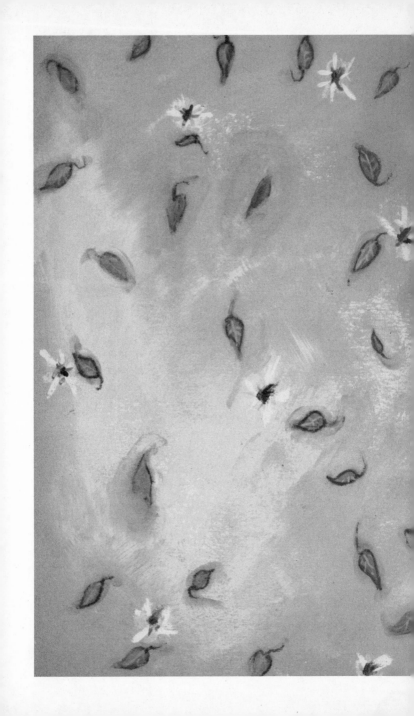

Teil 2

Eine Sitzung
mit Louise

2

Wo liegt das Problem?

Mein Körper funktioniert nicht

Er tut weh, blutet, schmerzt, schwitzt, ist verspannt, aufge-
dunsen; humpelt, brennt, altert, sieht immer schlechter, hört
immer schlechter, verfällt zusehends usw. Und was immer
Sie sich noch erschaffen haben. Wie oft habe ich das alles
schon gehört!

Ich komme mit meinen Mitmenschen nicht klar

Sie ersticken mich völlig oder aber sind nie da, wenn ich sie
brauche, sie sind fordernd, helfen mir überhaupt nicht, kritisieren ständig an mir herum, sind lieblos, lassen mir keine

Ruhe, sind dauernd genervt, achten überhaupt nicht auf meine Bedürfnisse, hören mir nie zu usw. Und was immer Sie sich noch erschaffen haben. Ja, auch das habe ich alles schon gehört!

Meine Finanzen sind eine Katastrophe

Niemals sind genug Rücklagen da, immer ist das Geld schneller ausgegeben, als es hereinkommt, es gleitet mir durch die Finger, ich kann ausstehende Rechnungen nicht bezahlen usw. Und was immer Sie sich noch erschaffen haben. Natürlich habe ich auch das alles schon gehört!

Mein ganzes Leben funktioniert einfach nicht

Ich komme nie dazu, das zu tun, was ich tun möchte. Ich kann es niemandem recht machen. Ich weiß nicht, was ich mit meinem Leben anfangen soll. Nie habe ich Zeit für mich. Meine Bedürfnisse und Wünsche werden nie berücksichtigt. Ich tue das nur, um es anderen recht zu machen. Alle trampeln auf mir herum. Niemand kümmert sich darum, was *ich* will. Ich bin völlig talentlos. Mir gelingt einfach nichts. Ich bin viel zu zögerlich und unentschlossen usw. Und was immer Sie sich noch erschaffen haben. Wie oft habe ich das schon gehört – und noch mehr.

Ich bekomme von allen Klienten, die ich frage, was in ihrem Leben los ist, normalerweise eine der oben genannten Antworten. Oder vielleicht mehrere dieser Antworten.

Sie glauben wirklich, das Problem zu kennen und benennen zu können. Aber ich weiß, dass diese Klagen nur äußerliche Auswirkungen innerer Gedankenmuster sind. Und

diesen inneren Gedankenmustern liegt ein tieferes, fundamentaleres Muster zugrunde, das die Basis für alle äußerlichen Auswirkungen darstellt.

Ich höre ihnen zu und stelle ihnen dann folgende grundlegende Fragen:

- Was geschieht in Ihrem Leben?
- Wie geht es Ihnen?
- Wovon leben Sie?
- Gefällt Ihnen Ihre Arbeit?
- Wie steht es um Ihre Finanzen?
- Wie ist Ihr Liebesleben?
- Wie endete Ihre letzte Beziehung?
- Und die Beziehung davor, wie endete sie?
- Erzählen Sie kurz von Ihrer Kindheit.

Ich beobachte Gestik und Mimik. Aber überwiegend höre ich wirklich genau zu.

Gedanken und Wörter gestalten unsere zukünftigen Erfahrungen. Während ich ihnen beim Sprechen zuhöre, kann ich ohne Schwierigkeit verstehen, warum sie ihre jeweiligen Probleme haben.

Die Wörter, die wir aussprechen, sind Hinweise auf unsere inneren Gedanken.

Manchmal passen die Wörter, die sie benutzen, nicht zu den Erfahrungen, die sie beschreiben. Dann weiß ich, dass sie entweder kein Verhältnis zu dem haben, was vor sich geht, oder sie lügen mich an.

Beides kann ein Anfangspunkt sein und liefert uns die Grundlage, auf der wir beginnen können.

Übung: Ich soll

Als Nächstes gebe ich ihnen Papier und Stift und bitte sie, oben auf die Seite zu schreiben:

Ich soll

_____

_____

_____

_____

Dann lasse ich sie fünf oder sechs Möglichkeiten notieren, die diesen Satz beenden. Einige finden den Anfang schwierig, andere haben so viel zu beschreiben, dass es ihnen schwerfällt aufzuhören.

Ich bitte sie dann, mir die Liste vorzulesen und jeden Satz mit »Ich soll _____« anzufangen.

Während sie vorlesen, frage ich jeden: »Warum?« Die Antworten sind interessant und aufschlussreich; wie zum Beispiel:

Meine Mutter hat gesagt, dass ich das tun soll.
Ich habe Angst davor, es nicht zu tun.
Weil ich perfekt sein muss.
Nun, aber jeder muss das tun. Das gehört sich so.
Weil ich zu faul, zu klein, zu groß, zu dick, zu dünn, zu dumm, zu hässlich, zu wertlos bin.

Diese Antworten zeigen mir, wo die Überzeugungen meiner Klienten zu festgefahren sind und wo ihre Grenzen liegen. Ich kommentiere ihre Antworten nicht. Wenn sie ihre Liste beendet haben, spreche ich über das Wort *soll*.

Wissen Sie, ich glaube, dass »soll« eines der schädlichsten Wörter in unserer Sprache ist. Jedes Mal, wenn wir »soll« benutzen, sagen wir in Wirklichkeit »falsch«. Entweder irren wir uns, haben uns geirrt oder werden uns irren. Ich glaube nicht, dass wir noch mehr Irrtümer in unserem Leben nötig haben.

Wir müssen mehr Entscheidungsfreiheit haben. Ich würde gerne das Wort *soll* für immer aus unserem Wortschatz streichen und es durch das Wort *könnte* ersetzen. »Könnte« gibt uns Wahlmöglichkeiten, sodass wir nicht mehr das Gefühl haben, etwas falsch zu machen.

Ich bitte sie dann, die Liste noch mal Punkt für Punkt vorzulesen, nur dass sie jetzt jeden Satz mit »Wenn ich wirklich will, könnte ich...« anfangen sollen. Das wirft ein völlig neues Licht auf das Thema.

Während sie das tun, frage ich sie freundlich: »Und warum haben Sie nicht?« Und nun hören wir ganz andere Antworten:

– Ich möchte nicht.
– Ich habe Angst.
– Ich weiß nicht, wie.
– Weil ich nicht gut genug bin.
– Und so weiter.

Oft finden wir dabei heraus, dass sie sich jahrelang wegen etwas gescholten haben, das sie eigentlich gar nicht tun wollten.

Oft war es einfach etwas, was jemand anderer von ihnen wollte. Wenn ihnen das bewusst wird, können sie es einfach von ihrer »Soll-Liste« streichen. Was für eine Erleichterung das ist!

Schauen Sie sich all die Menschen an, die sich jahrelang zu einem Beruf zwingen, den sie in Wahrheit nicht mögen, nur weil ihre Eltern sagten, sie sollten Zahnarzt oder Lehrer werden. Wie oft haben wir uns minderwertig gefühlt, weil uns gesagt wurde, wir sollten tüchtiger, reicher oder kreativer sein als dieser oder jener Verwandter.

Was gibt es auf Ihrer »Soll-Liste«, das zu Ihrer Erleichterung gestrichen werden könnte?

Nachdem ich mit ihnen diese kurze Liste durchgegangen bin, fangen sie schon an, ihr Leben auf neue und ganz andere Art zu betrachten. Sie stellen fest, dass vieles von dem, was sie meinten, tun zu müssen, Dinge waren, die sie nur getan haben, um anderen zu gefallen. Das geschieht häufig aus Angst oder weil wir glauben, nicht gut genug zu sein.

Jetzt fängt das Problem an, sich zu verlagern. Zunächst habe ich sie von dem Gefühl befreit, »etwas falsch zu machen«, weil sie den Anforderungen anderer nicht genügen.

Als Nächstes erkläre ich ihnen meine Lebensphilosophie, wie in Kapitel 1. Und die ist, wie ich glaube, wirklich sehr einfach: Was wir geben, bekommen wir auch zurück. Das Universum unterstützt vollständig jeden Gedanken, den wir denken und glauben wollen. Wenn wir klein sind, lernen wir durch die Reaktionen der Erwachsenen, wie wir über uns und das Leben zu denken haben. Welcher Art diese Überzeugungen auch sein mögen, während des Heranwachsens erschaffen wir uns Erfahrungen, die sie zu bestätigen scheinen. Wir haben es jedoch lediglich mit Gedankenmustern zu tun; und wir verfügen immer über die Macht und Kontrolle, hier und jetzt diese Muster zu verändern. Wir können in jedem Augenblick unseres Lebens Veränderungen herbeiführen.

Die Selbstliebe

Dann erkläre ich ihnen, dass es, ungeachtet des konkreten Problems, an dem ein Menschen offenbar leidet, nur eine Sache gibt, an der ich immer mit jedem arbeite, und zwar die Selbstliebe. Liebe ist die Wundertherapie. Selbstliebe bewirkt in unserem Leben wahre Wunder.

Ich spreche nicht von Selbstgefälligkeit, Arroganz oder Narzissmus, denn das ist nicht Liebe, sondern nur Angst. Ich meine vielmehr große Anerkennung uns selbst gegenüber und Dankbarkeit für das Wunder unseres Körpers und unseres Geistes. »Liebe« bedeutet in meinen Augen eine Wertschätzung, die so groß ist, dass mein Herz davon überfließt. Liebe kann überall sein. Ich kann Liebe empfinden für:

- den Lebensvorgang als solchen.
- die Freude, am Leben zu sein.
- die Schönheit, die ich sehe.
- einen anderen Menschen.
- Wissen.
- den menschlichen Geist und seine Fähigkeiten.
- unsere Körper und ihre Funktionsweise.

– die Tierwelt.
– die Vegetation in all ihren Formen.
– das Universum.

Was können Sie dieser Liste hinzufügen?
  Hier sind einige Beispiele für Lieblosigkeit:

– Wir beschimpfen und kritisieren uns andauernd.
– Wir misshandeln unseren Körper mit Nahrungsmitteln, Alkohol und Drogen.
– Wir entscheiden uns zu glauben, wir seien nicht liebenswert.
– Wir scheuen uns, einen angemessenen Preis für unsere Arbeit zu fordern.
– Wir erschaffen Krankheiten und Schmerzen in unserem Körper.
– Wir schieben Dinge auf die lange Bank, die eigentlich gut für uns wären.
– Wir leben in Chaos und Unordnung.
– Wir bürden uns selbst Schulden und Belastungen auf.
– Wir ziehen Menschen in unser Leben, die uns herabwürdigen.

Auf welche Weise sind Sie lieblos zu sich selbst?

Wenn wir uns Gutes in irgendeiner Form versagen, dann ist das ein Akt der Lieblosigkeit uns selbst gegenüber. Ich erinnere mich an eine Klientin, mit der ich arbeitete und die eine Brille trug. Eines Tages gelang es uns, eine alte Angst aus ihrer Kindheit aufzulösen. Als sie am nächsten Tag aufstand, bemerkte sie, dass ihre Kontaktlinsen sie störten. Sie mochte sie nicht mehr tragen. Sie schaute sich um und stellte fest, dass ihr Sehvermögen vollkommen wiederhergestellt war. Sie verbrachte jedoch den ganzen Tag damit, zu sagen: »Ich glaube es nicht, ich kann es nicht glauben.« Am nächsten Tag war sie wieder auf die Kontaktlinsen angewiesen. Unser Unterbewusstsein versteht nämlich keinen Spaß. Da sie nicht daran glauben wollte, ihr volles Sehvermögen zurückerlangt zu haben, verlor sie es wieder. Mangel an Selbstwertgefühl ist ebenfalls eine Form des Sich-nicht-Liebens: Tom war ein sehr guter Künstler. Er hatte reiche Kunden, für die er die Wände ihrer Häuser dekorierte. Trotzdem reichte das Geld bei ihm hinten und vorne nicht. Er wagte es nicht, Honorare zu verlangen, die hoch genug waren, um gut von seiner Arbeit leben zu können.

Jeder, der eine Dienstleistung erbringt oder ein einzigartiges Produkt vermarktet, kann dafür einen anständigen Preis verlangen. Wohlhabende Menschen lieben es, viel für das zu zahlen, was sie bekommen; das verleiht dem Gegenstand einen größeren Wert. Weitere Beispiele:

- Unser Partner ist müde und mürrisch. Wir fragen uns, was wir falsch gemacht haben, dass er so verstimmt ist.
- Ein Mann lädt eine Frau ein-, zweimal ein und ruft dann nie mehr an. Sie denkt, der Fehler müsse bei ihr liegen.
- Unsere Ehe scheitert, und wir sind sicher, dass wir die Versager sind.
- Wir haben Angst, nach einer Gehaltserhöhung zu fragen.
- Unsere Körper sind nicht so wie in den Modezeitschriften. Und schon fühlen wir uns minderwertig.
- Ein Geschäft kommt nicht zustande oder eine Position, auf die wir uns bewerben, wird anderwärtig vergeben, und schon sind wir sicher, »nicht gut genug« zu sein.
- Wir fürchten uns vor Intimität und haben Angst, anderen zu erlauben, uns nahezukommen. Deswegen haben wir anonymen Sex.
- Wir können keine Entscheidungen treffen, weil wir sicher sind, immer alles falsch zu machen.

Wie äußert sich *Ihr* mangelndes Selbstwertgefühl?

Die Vollkommenheit der Babys

Wie vollkommen waren Sie als kleines Baby! Babys müssen für ihre Vollkommenheit nichts tun, sie sind bereits vollkommen und handeln so, als wüssten sie das. Sie wissen, dass sie das Zentrum des Universums sind. Sie haben keine Angst davor, um das zu bitten, was sie sich wünschen. Sie äußern frei ihre Gefühle. Und wenn ein Baby wütend ist, hört man das in der ganzen Nachbarschaft. Wenn es glücklich ist, erhellt sein Lächeln den ganzen Raum. Babys sind voller Liebe.

Säuglinge sterben, wenn sie keine Liebe bekommen. Sobald wir älter sind, lernen wir, ohne Liebe zu leben, Babys aber würden das nicht aushalten. Babys lieben auch jeden Teil ihres Körpers, sogar ihre Exkremente. Sie haben einen unglaublichen Mut.

So waren Sie auch einmal, wie wir alle. Dann fingen wir an, den Erwachsenen zuzuhören, die gelernt hatten, ängstlich zu sein. Und so begannen wir, unsere eigene Großartigkeit zu verleugnen. Ich glaube meinen Klienten schon den Versuch nicht, mich überzeugen zu wollen, wie schrecklich und wenig liebenswert sie sind. Meine Aufgabe ist es, sie in die Zeit zurückzuführen, in der sie die wirkliche Selbstliebe kannten.

Übung: Spiegel

Als Nächstes bitte ich die Klienten, einen kleinen Spiegel zu nehmen, sich in die Augen zu schauen, ihren Namen zu nennen und zu sagen: »Ich liebe und akzeptiere dich genauso, wie du bist.«

Das ist für viele Menschen sehr schwierig. Selten erziele ich bei dieser Übung eine gelassene Reaktion, geschweige denn

Freude. Einige weinen oder weinen beinahe, andere werden ärgerlich, wieder andere setzen ihr Aussehen oder ihre Qualitäten herab oder sie beharren sogar darauf, es nicht tun zu können.

Ich hatte sogar einen Mann, der den Spiegel quer durchs Zimmer warf und weglaufen wollte. Er brauchte mehrere Monate, bis er anfangen konnte, sich mit seinem Spiegelbild auseinanderzusetzen.

Jahrelang schaute ich in den Spiegel, um zu kritisieren, was ich dort sah. Es amüsiert mich jetzt, wenn ich mich an die endlosen Stunden erinnere, die ich mit Augenbrauenzupfen verbrachte, um mich gerade so eben akzeptabel herzurichten. Ich entsinne mich, dass es mich erschreckte, mir in die Augen zu sehen.

Diese einfache Übung zeigt mir sehr viel. In weniger als einer Stunde kann ich zu einigen der Kernthemen vorstoßen, die unter dem äußeren Problem liegen. Wenn wir nur auf der Ebene des Problems arbeiten, können wir endlos Zeit damit verbringen, jedes einzelne Detail herauszuarbeiten; und kaum denken wir, es sei alles »geregelt«, taucht es woanders wieder auf.

»Das Problem« ist selten das wirkliche Problem

Sie war so sehr um ihr Aussehen und besonders um ihre Zähne besorgt. Sie ging von Zahnarzt zu Zahnarzt, meinte aber, jeder hätte ihr Aussehen nur verschlimmert. Sie ließ ihre Nase korrigieren, aber man leistete schlechte Arbeit. Jeder Fachmann spiegelte ihre Überzeugung wider, sie sei hässlich. Ihr Problem war nicht ihr Aussehen, sondern ihre Überzeugung, an ihr stimme etwas nicht.

Eine meiner Klientinnen hatte furchtbaren Mundgeruch. Es war unangenehm, in ihrer Nähe zu sein. Sie studierte Theologie, ihr Verhalten nach außen hin war fromm und das einer Geistlichen. Darunter aber gab es wütende Züge von Ärger und Eifersucht, die hier und da explodierten, wenn sie meinte, irgendjemand könnte ihre Persönlichkeit bedrohen. Ihr innerer Zustand gelangte durch den Mundgeruch zum Ausdruck; und sie war beleidigend, wenn sie vorgab, liebenswert zu sein. Niemand als sie selbst bedrohte sie.

Ein Junge, der erst 15 Jahre alt war, als seine Mutter ihn zu mir brachte, hatte die Hodgkinsche Krankheit und noch drei Monate zu leben. Seine Mutter war verständlicherweise verzweifelt, und es war schwierig, mit ihr zu sprechen; der Junge aber war fröhlich und klug und wollte leben. Er war bereit, alles zu tun, was ich ihm sagte, einschließlich die Art und Weise, wie er dachte und sprach, zu verändern. Seine geschiedenen Eltern hatten immer Streit, und er hatte wirklich kein angenehmes Familienleben.

Er wollte unbedingt Schauspieler werden. Der Drang nach Berühmtheit und Erfolg übertrafen bei weitem seine Fähigkeit, Freude zu erleben. Er dachte, nur wenn er berühmt und interessant sei, könnte er akzeptiert werden. Ich lehrte ihn, sich zu lieben und zu akzeptieren, und er wurde gesund. Er ist jetzt erwachsen und tritt regelmäßig am Broadway auf. Als er gelernt hatte, die Freude am eigenen Ich zu erleben, öffneten sich ihm alle Möglichkeiten für eine Karriere als Theaterschauspieler.

Übergewicht ist ein anderes gutes Beispiel dafür, wie wir eine Menge Energie mit dem Versuch verschwenden, ein Problem zu korrigieren, welches nicht das wirkliche Problem ist. Menschen bekämpfen oft Jahr für Jahr das Fett und haben immer noch Übergewicht. Sie geben dem Übergewicht die Schuld an all ihren Problemen. Übergewicht aber ist nur ein äußeres Zeichen für tief innen sitzende Probleme. In meinen Augen sind es immer Angst und Schutzbedürfnis. Wenn wir uns ängstlich, unsicher oder »nicht gut genug« fühlen, werden viele von uns zum Schutz Gewicht zulegen.

Es ist schlicht Verschwendung, unsere Zeit damit zu verbringen, uns wegen zu hohen Gewichts zu schelten, uns wegen jeden Bissens, den wir essen, schuldig zu fühlen – uns all das anzutun, nur weil wir zunehmen. Zwanzig Jahre spä-

ter können wir noch immer in derselben Situation sein, weil wir uns nicht mit dem wirklichen Problem beschäftigen. Alles, was wir bis dahin erreicht haben, ist, noch ängstlicher und unsicherer zu sein als damals – und dann benötigen wir noch mehr Gewicht als Schutz.

Deswegen lehne ich es ab, sich aufs Übergewicht oder auf Diäten zu konzentrieren. Denn Diäten funktionieren nicht. Die einzige funktionierende Diät ist eine geistige Diät; eine Diät gegen negative Gedanken. Ich sage den Klienten: »Lassen wir vorläufig dieses Thema beiseite und fangen wir zuerst mit ein paar anderen Dingen an.«

Die Leute erzählen mir oft, sie können sich nicht selbst lieben, weil sie so dick sind oder, wie es ein Mädchen formulierte, »an den Ecken zu rund«. Ich erkläre ihnen dann, sie seien dick, weil sie sich nicht lieben. Wenn wir anfangen, uns zu lieben und anzuerkennen, ist es verblüffend, wie das Gewicht einfach von unserem Körper verschwindet.

Manchmal ärgern sich Klienten sogar über mich, wenn ich erkläre, wie einfach es ist, sein Leben zu verändern. Sie glauben dann, dass ich ihre Probleme nicht verstehe. Eine Frau wurde sehr wütend und sagte: »Ich bin hierhergekommen, um Hilfe für meine Dissertation zu erhalten, und nicht, um mich lieben zu lernen.« In meinen Augen war es sonnenklar, dass ihr Hauptproblem ein ausgeprägter Selbsthass war, der jeden Bereich ihres Lebens durchdrang, sogar das Schreiben ihrer Dissertation. Sie konnte nirgends erfolgreich sein, solange sie sich als so wertlos empfand.

Sie konnte mir nicht zuhören und ging weinend fort, um ein Jahr später mit demselben Problem sowie einer Menge anderer wiederzukommen. Manche Menschen sind nicht bereit; und das sollte man nicht verurteilen. Wir alle beginnen am richtigen Ort, zur richtigen Zeit und in der richtigen Reihenfolge mit den Veränderungen an uns. Auch ich habe erst mit den Veränderungen an mir begonnen, als ich die vierzig überschritten hatte.

Das wirkliche Problem

Hier ist also ein Klient, der gerade in den harmlosen kleinen Spiegel geschaut hat, und er oder sie ist völlig verärgert. Ich lächele vergnügt und sage: »Gut, jetzt betrachten wir das wirkliche Problem. Jetzt können wir anfangen, das, was Ihnen wirklich im Weg steht, wegzuräumen.« Ich spreche ausführlich über Eigenliebe, darüber, wie – in meinen Augen – Eigenliebe damit beginnt, sich nie und nimmer wegen irgendetwas zu kritisieren.

Ich beobachte die Gesichter meiner Klienten, während ich sie frage, ob sie sich selbst kritisieren. Ihre Reaktionen verraten mir so viel!

- Natürlich tue ich das!
- Immer.
- Nicht mehr so oft wie früher.
- Hm, wie soll ich mich ändern, wenn ich keine Selbstkritik übe?
- Tut das nicht jeder?

Auf Letzteres antworte ich: »Wir sprechen nicht über jeden, sondern wir sprechen über Sie. Warum kritisieren Sie sich? Was stimmt nicht mit Ihnen?«

Während sie sprechen, lege ich eine Liste an. Was sie sagen, stimmt oft mit ihrer »Soll-Liste« überein. Sie empfinden sich als zu groß, zu klein, zu dick, zu dünn, zu dumm, zu alt, zu jung (gerade die Schönsten und Hübschesten sagen das oft).

Oder sie sind unpünktlich, zu früh, zu faul und so weiter. Beachten Sie, dass es fast immer »zu...« ist. Schließlich kommen wir den Dingen auf den Grund, und sie sagen: »Ich bin nicht gut genug.«

Hurra, hurra! Endlich haben wir das zentrale Thema gefunden. Sie üben Selbstkritik, weil sie gelernt haben zu glauben, »sie seien nicht gut«. Die Klienten sind immer erstaunt darüber, wie schnell wir zu diesem Punkt gelangen. Jetzt brauchen wir uns nicht mehr um Nebeneffekte wie Körper-, Beziehungs-, Geldprobleme und Mangel an kreativer Ausdrucksfähigkeit zu kümmern. Wir können all unsere Energie aufs Beheben der Ursache der ganzen Angelegenheit richten: »Dass sie sich selbst nicht lieben!«

In der Unendlichkeit des Lebens,
dort, wo ich bin, ist alles heil und vollkommen.

✳

Ich werde immer göttlich geschützt und geführt.

✳

Ich kann getrost in mein Inneres schauen.

✳

Ich kann getrost der Vergangenheit
gegenübertreten.

✳

Ich kann getrost meine Lebensanschauung
erweitern.

✳

Ich bin weit mehr als meine Persönlichkeit –
Vergangenheit, Gegenwart oder Zukunft.

✳

Ich entscheide mich jetzt, mich über
meine Persönlichkeitsprobleme zu erheben,
um die Großartigkeit meines Seins zu erkennen.

✳

Ich bin völlig willens, Selbstliebe zu erlernen.
Alles ist gut in meiner Welt.

3

Woher kommt es?

*»Die Vergangenheit
hat keine Macht über mich.«*

Gut, wir sind viele Fragen durchgegangen, und wir haben die vermeintlichen Probleme betrachtet. Und jetzt sind wir auf das wirkliche Problem gestoßen. Wir empfinden, dass wir nicht gut genug sind, und es besteht ein Mangel an Selbstliebe. Lassen Sie uns untersuchen, woher diese Überzeugung kommt.

Wie konnte es geschehen, dass wir von einem kleinen Baby, das seine Vollkommenheit und die des Lebens kannte, zu einer Person geworden sind, die Probleme hat und sich mehr oder weniger als wertlos und nicht liebenswert empfindet? Menschen, die sich bereits lieben, können sich noch mehr lieben.

Stellen Sie sich eine Rose als Knospe vor. Während sie sich zu voller Blüte entfaltet, ist sie immer wunderschön, immer vollkommen, immer in Veränderung, bis das letzte Blütenblatt fällt. So ist es auch mit uns. Wir sind immer vollkommen, immer wunderschön und ändern uns fortwährend. Wir tun unser Bestes mit dem Verständnis, dem Bewusstsein und dem Wissen, das wir besitzen. Da wir größeres Verständnis, Bewusstsein und Wissen dazugewinnen, werden wir uns auch anders verhalten.

Geistiger Hausputz

Jetzt ist es an der Zeit, unsere Vergangenheit etwas genauer zu untersuchen und einige Überzeugungen zu betrachten, von denen wir uns bisher haben leiten lassen. Einige Menschen empfinden diesen Teil des Reinigungsprozesses als äußerst schmerzhaft, aber das muss nicht unbedingt so sein. Wir müssen den Dingen ins Auge sehen, damit wir sie bereinigen können.

Wenn Sie einen Raum gründlich sauber machen wollen, werden Sie alles aufheben und genau ansehen. Manche Dinge werden Sie liebevoll betrachten, sie abstauben oder polieren, um ihnen neue Schönheit zu verleihen. Manches, was Sie ansehen, muss aufgearbeitet oder repariert werden. Manches werden Sie nie mehr benutzen, und es wird Zeit, sich davon zu trennen. Alte Zeitschriften, Zeitungen und Pappteller kann man ganz beruhigt in den Mülleimer werfen. Man muss nicht erst wütend werden, um ein Zimmer aufzuräumen.

Genauso ist es, wenn wir unser geistiges Haus aufräumen. Man muss nicht wütend werden, nur weil es an der Zeit ist, einige Überzeugungen über Bord zu werfen. Trennen Sie sich genauso leicht von ihnen, wie Sie nach einer Mahlzeit Essensreste in den Abfall werfen.

Würden Sie wirklich aus den Abfällen von gestern das heutige Abendessen zubereiten? Wühlen Sie in altem geistigem Müll herum, um daraus die Erfahrungen von morgen zu gestalten?

Wenn Ihnen ein Gedanke oder eine Überzeugung nicht nützt, trennen Sie sich davon! Es gibt kein Gesetz, das Ihnen vorschreibt, eine Überzeugung ewig beibehalten zu müssen, nur weil Sie sie früher einmal für richtig hielten.

Lassen Sie uns nun einige dieser Überzeugungen, die uns einengen, ansehen und gleichzeitig nachschauen, woher sie kommen:

Einengende Überzeugung: »Ich bin nicht gut genug.«
Wie sie entstand: Durch einen Vater, der seinem Sohn immer wieder sagte, er sei dumm.

Er sagte, erfolgreich sein zu wollen, damit sein alter Herr stolz auf ihn sein könne. Aber es quälten ihn Schuldgefühle, die Verdruss hervorriefen, und er erlebte einen Misserfolg nach dem anderen. Sein Vater finanzierte ihm weiterhin seine Geschäfte, aber eins nach dem anderen wurde ein Fehlschlag. Er benutzte die Misserfolge, um es seinem Vater heimzuzahlen, indem er ihn für seine Verluste aufkommen ließ. Aber natürlich war er selbst dabei der größte Verlierer.

61

Einengende Überzeugung: Mangel an Selbstliebe.
Wie sie entstand: Der Versuch, Papas Anerkennung zu gewinnen.

Das Letzte, was sie wollte, war, wie ihr Vater zu sein. Sie stimmten in nichts überein und hatten immer Streit. Sie wünschte sich seine Anerkennung, aber stattdessen hörte sie nur Kritik. Ihr Körper schmerzte. Ihr Vater hatte genau dieselben Schmerzen. Sie machte sich nicht klar, dass ihr Ärger ihre Schmerzen hervorrief, genau wie der Ärger ihres Vaters bei ihm Schmerzen verursachte.

Einengende Überzeugung: Das Leben ist gefährlich.
Wie sie entstand: Ein ängstlicher Vater.

Eine andere Klientin betrachtete das Leben als trostlos und hart. Lachen fiel ihr schwer; und wenn sie es doch einmal tat, hatte sie Angst, es würde etwas »Schlechtes« darauf folgen. Sie war mit der Warnung ihres Vaters aufgewachsen: »Lache nicht, zeige keine Gefühle, sonst fallen »sie« über dich her.«

Einengende Überzeugung: Ich bin nicht gut genug.
Wie sie entstand: Sich verlassen und nicht beachtet fühlen.

Das Sprechen fiel ihm schwer. Schweigsamkeit war ihm zum Lebensstil geworden. Er war gerade von Drogen und Alkohol losgekommen und hielt sich für einen schrecklichen Menschen. Ich fand heraus, dass er noch sehr jung gewesen war, als seine Mutter starb, und dass er von einer Tante aufgezogen worden war. Die Tante war sehr wortkarg. Wenn sie den Mund aufmachte, dann nur, um ihn herumzukommandieren. Er war unter Schweigen herangewachsen. Er aß schweigend allein und blieb Tag für Tag still in seinem Zimmer. Er hatte einen Liebhaber, der auch ein stiller Mann war, und auch mit ihm verbrachte er die meiste Zeit schweigend. Der Liebhaber starb, und einmal mehr war er allein.

Übung: Negative Botschaften

Die nächste Übung besteht darin, dass Sie auf einem Blatt Papier eine Liste der Dinge sammeln, die Ihre Eltern an Ihnen falsch fanden. Welches waren die negativen Botschaften, die Sie hörten? Nehmen Sie sich genug Zeit, sich an so viele wie möglich zu erinnern. Eine halbe Stunde reicht normalerweise. Was sagten Ihre Eltern über Geld? Was sagten sie über Ihren Körper? Was sagten sie über Liebe und Beziehungen? Was sagten sie über Ihre kreativen Begabungen? Welche einengenden und negativen Dinge sagten sie Ihnen? Wenn Sie können, schauen Sie sich diese Themen objektiv an, und sagen Sie sich dann: »Daher kommt also diese Überzeugung.« Lassen Sie uns jetzt ein neues Blatt Papier nehmen und etwas tiefer graben. Welche anderen negativen Botschaften hörten Sie als Kind?

Von Verwandten _____

Von Lehrern _____

Von Freunden _____

Von anderen wichtigen Personen _____

Von Ihrer Kirche _____

Schreiben Sie alle auf. Nehmen Sie sich Zeit. Achten Sie auf die Gefühle in Ihrem Körper.

Das, was Sie auf diesen beiden Blättern aufge-
schrieben haben, sind Gedanken, die Sie aus Ihrem Bewusstsein entfernen sollten.
Genau diese Überzeugungen verursachen in Ihnen das Gefühl, »nicht gut genug« zu sein.

Sehen Sie sich als Kind

Würden wir ein dreijähriges Kind nehmen und es in die
Mitte des Zimmers stellen und Sie und ich würden anfangen, das Kind anzuschreien, ihm zu sagen, wie dumm es
ist, dass es nichts richtig macht, ihm eine Standpauke halten, was es tun und lassen soll, es ausschimpfen, wegen der
Unordnung, die es anrichtet, und wenn wir es dann vielleicht noch ein paar Mal schlagen würden, dann hätten wir
zum Schluss ein verängstigtes Kind, das fügsam in einer
Ecke sitzt. Oder aber es würde aus Protest das Zimmer de-
molieren. Das Kind wird einen dieser Wege gehen, aber wir
werden niemals die Möglichkeiten dieses Kindes kennenlernen.

Wenn wir demselben kleinen Kind erzählen, wie sehr wir
es lieben, wie sehr wir uns um es bemühen, dass wir sein
Aussehen, seine Fröhlichkeit und seine Klugheit lieben, dass
wir mögen, wie es handelt, und es in Ordnung ist, wenn es
Fehler macht, weil es ja noch lernt – und dass wir immer für
es da sein werden, was auch geschehen mag – dann werden Sie aus dem Staunen gar nicht herauskommen, welches
Potenzial sich in diesem Kind entfaltet!

Jeder hat ein dreijähriges Kind in sich, und oft verbringen
wir viel Zeit damit, dieses Kind in uns wütend anzuschreien.
Und dann wundern wir uns, warum unser Leben nicht funktioniert.

Wenn Sie einen Freund hätten, der Sie ständig kritisiert, würden Sie dann mit ihm zusammen sein wollen? Vielleicht wurden Sie als Kind so behandelt, und das ist traurig. Es ist jedoch lange her. Wenn Sie sich aber jetzt entscheiden, sich selbst genauso zu behandeln, dann ist das umso trauriger.

So, wir haben jetzt eine Liste mit negativen Botschaften vor uns liegen, die wir uns als Kinder anhören mussten. Inwieweit entspricht diese Liste dem, was Sie an sich selbst als falsch betrachten? Stimmt es ungefähr überein? Wahrscheinlich ja.

Wir begründen das Drehbuch unseres Lebens auf solchen frühen Botschaften. Wir alle sind gute Kinder und akzeptieren gehorsam, was »sie« uns als Wahrheit erzählen. Es wäre sehr bequem, einfach unseren Eltern die Schuld zu geben und für den Rest unseres Lebens Opfer zu sein. Aber das würde nicht viel Spaß machen. Es würde uns auch nicht aus unserer festgefahrenen Situation befreien.

Der Familie die Schuld zuweisen

Die sicherste Art, ein Problem zu behalten, ist die »Schuld-zuweisung«. Indem wir anderen die Schuld geben, geben wir unsere Macht auf. Verständnis und Einsicht versetzen uns dagegen in die Lage, uns über ein Problem zu erheben und unsere Zukunft in die eigenen Hände zu nehmen.

Die Vergangenheit kann nicht verändert werden. Die Zukunft wird durch unser gegenwärtiges Denken geformt. Um frei zu werden, müssen wir uns unbedingt klarmachen, dass unsere Eltern immer ihr Bestmögliches getan haben mit dem Verständnis, Bewusstsein und Wissen, das ihnen zur Verfügung stand. Wenn wir anderen die Schuld geben, übernehmen wir keine Verantwortung für uns selbst.

Die Menschen, die uns all diese schrecklichen Dinge angetan haben, waren genauso verschüchtert und ängstlich wie Sie. Sie empfanden genau dieselbe Hilflosigkeit wie Sie. Und sie konnten Ihnen nur das beibringen, was sie selbst gelernt hatten.

Wie viel wissen Sie über die Kindheit Ihrer Eltern, besonders bis zum Alter von zehn Jahren? Wenn es noch möglich ist, dann fragen Sie sie. Wenn Sie mehr über die Kindheit Ihrer Eltern herausfinden, werden Sie leichter verstehen, warum sie so gehandelt haben, wie sie handelten. Verständnis schafft Mitgefühl.

Wenn Sie nichts wissen und herausfinden können, versuchen Sie sich vorzustellen, wie es für sie gewesen sein muss. Was für eine Kindheit könnte einen solchen Erwachsenen hervorbringen? Sie benötigen dieses Wissen für Ihre eigene Freiheit. Sie können sich nicht befreien, solange Sie sie nicht befreit haben.

Sie können sich auch nicht vergeben, bevor Sie ihnen vergeben haben. Wenn Sie von ihnen Vollkommenheit verlangen, werden Sie auch von sich selbst Vollkommenheit verlangen – und es wird Ihnen Ihr Leben lang elend gehen.

Die Auswahl unserer Eltern

Ich stimme der Theorie zu, dass wir uns unsere Eltern aussuchen. Die Lektionen, die wir in unserem Leben lernen, scheinen perfekt zu den »Schwachstellen« unserer Eltern zu passen.

Ich glaube, dass wir uns alle auf einer endlosen Reise durch die Ewigkeit befinden. Wir kommen auf diesen Planeten, um bestimmte Lektionen zu lernen, die für unsere geistige Entwicklung notwendig sind. Wir wählen unser Geschlecht, unsere Hautfarbe, unser Land. Und dann schauen wir uns nach dem Elternpaar um, das unsere Denkmuster perfekt »widerspiegelt«.

Unser Besuch auf diesem Planeten ist wie eine Schulausbildung. Wenn Sie Kosmetikerin werden wollen, gehen Sie auf eine Berufsfachschule für Kosmetik. Wenn Sie Automechaniker werden wollen, machen Sie eine Automechanikerlehre. Wenn Sie Rechtsanwalt werden wollen, studieren Sie Jura.

Die Eltern, die Sie sich für dieses Mal ausgesucht haben, eignen sich perfekt. Sie sind »Experten« auf den Gebieten, auf denen Sie in diesem Leben dazulernen wollen.

Wenn wir heranwachsen, neigen wir dazu, mit dem Finger anklagend auf unsere Eltern zu zeigen und zu sagen: »Ihr habt mir das angetan!« Aber ich glaube, dass wir sie uns ausgesucht haben.

Auf andere hören

Wenn wir klein sind, sind unsere älteren Geschwister Abgötter für uns. Wenn sie unglücklich waren, ließen sie uns das körperlich oder durch Worte spüren. Sie haben vielleicht Dinge gesagt wie:

- »Ich verpetze dich wegen...« (Schuld einflößen)
- »Du bist doch noch ein Baby, das kannst du noch nicht.«
- »Du bist zu blöd, um mit uns zu spielen.«

Wir werden oft stark von unseren Lehrern beeinflusst. In der fünften Klasse sagte mir eine Lehrerin nachdrücklich, ich sei zu groß, um Tänzerin zu werden. Ich glaubte ihr und gab diesen Wunsch auf, bis ich dann zu alt war, doch noch Tänzerin zu werden.

Hatten Sie begriffen, dass Klassenarbeiten und Zensuren nur dazu dienten, zu entsprechender Zeit Ihr Wissen unter Beweis zu stellen, oder war es nicht vielmehr so, dass Sie als Kind glaubten, Klassenarbeiten stellten ein Werturteil über Ihre Person dar?

Meine neue Auffassung

Unsere frühen Freunde teilen mit uns die gleichen Fehlinformationen über das Leben. Andere Kinder aus der Schule können uns hänseln und uns lang anhaltende Schmerzen zufügen. Als ich Kind war, hieß ich mit Nachnamen Lunney, und die Kinder nannten mich häufig »lunatic« (= verrückt).

Nachbarn üben ebenfalls Einfluss aus, nicht nur wegen ihrer Bemerkungen, sondern auch, weil man uns fragte: »Was werden die Nachbarn denken?«

Denken Sie darüber nach, welche anderen Autoritätspersonen Sie in der Kindheit beeinflusst haben.

Und natürlich gibt es da noch die starken und sehr überzeugenden Aussagen in der Werbung, sei es im Fernsehen oder in Zeitschriften. Viel zu viele Produkte werden über die Suggestion verkauft, wir seien wertlos oder dumm, wenn wir sie nicht benutzen.

Wir sind alle hier, um unsere früheren Grenzen zu überschreiten, welcher Art auch immer sie gewesen sein mögen. Wir sind hier, unsere eigene Großartigkeit und unser göttliches Wesen zu erkennen, ungeachtet dessen, was »sie« uns erzählt haben. Sie müssen Ihre negativen Überzeugungen überwinden, genau wie ich meine negativen Überzeugungen überwinden muss.

In der Unendlichkeit des Lebens, dort, wo ich bin,
ist alles heil und vollkommen.

✳

Die Vergangenheit hat keine Macht über mich,
weil ich willens bin, zu lernen und mich
zu verändern.

✳

Ich betrachte die Vergangenheit als notwendig,
mich dorthin zu bringen, wo ich heute stehe.

✳

Ich bin willens, dort, wo ich jetzt bin,
mit dem Aufräumen der Zimmer meines geistigen
Hauses zu beginnen.

✳

Ich weiß, dass es keine Rolle spielt, wo ich anfange,
deshalb beginne ich mit den kleinsten und
einfachsten Räumen; auf diese Weise sehe ich
schnell Ergebnisse.

✳

Ich bin aufgeregt, mich mitten in diesem Abenteuer
zu befinden, denn ich weiß, dass ich diese besondere
Erfahrung niemals mehr erleben werde.

✳

Ich bin willens, mich selbst zu befreien.
Alles ist gut in meiner Welt.

4

Ist es wirklich wahr?

*»Wahrheit ist
der unveränderbare Teil
von mir.«*

Auf die Frage »Ist es wahr?« gibt es zwei Antworten: »Ja«
und »Nein«. Es ist wahr, wenn Sie meinen, es sei wahr. Es
ist nicht wahr, wenn Sie meinen, es sei nicht wahr.

Das Glas ist halb voll oder halb leer, je nachdem, wie Sie
es betrachten. Wir können unter Milliarden von Gedanken
frei auswählen.

Die meisten entscheiden sich dafür, dieselbe Art von Gedanken zu denken, die unsere Eltern dachten, aber wir müssen das nicht fortsetzen. Es gibt kein Gesetz, das uns vorschreibt, nur in eine Richtung zu denken.

Wenn ich mich entscheide, etwas zu glauben, dann wird
es für mich zur Wahrheit. Wenn wir anders denken, sind
auch unsere Lebenswege und Erfahrungen anders.

Prüfen Sie Ihre Gedanken

Was immer wir glauben, wird Wahrheit für uns. Wenn Sie ein finanzielles Desaster erleben, liegt dem vermutlich der Glaube zugrunde, Sie verdienten es nicht, wohlhabend zu sein, oder ein Glaube an finanzielle Belastungen und Schulden. Oder wenn Sie meinen, dass Gutes nicht von Dauer ist, dann glauben Sie vielleicht, dass das Leben »es nicht gut mit Ihnen meint«, oder, wie ich es oft höre: »Ich bin einfach kein Siegertyp.«

Wenn Sie unfähig scheinen, eine Beziehung aufzubauen, dann glauben Sie vielleicht: »Niemand liebt mich.« Oder: »Ich bin nicht liebenswert.« Vielleicht befürchten Sie, wie Ihre Mutter unter einem dominanten Partner leiden zu müssen, oder vielleicht denken Sie: »Menschen verletzen mich nur.«

Wenn Sie unter Gesundheitsbeschwerden leiden, könnten Sie vielleicht meinen: »In unserer Familie haben nun einmal alle eine schwache Gesundheit.« Oder dass die Einflüsse des Wetters schuld sind. Oder vielleicht denken Sie: »Ich bin zum Leiden geboren.« Oder aber: »Ein Unheil jagt das andere.«

Oder es stecken andere Glaubenssätze dahinter. Vielleicht aber sind Sie sich Ihrer Glaubenssätze noch nicht einmal bewusst. Das trifft leider auf die meisten Menschen zu.

Sie betrachten die äußeren Umstände wie krümelnde Kekse. Sie bleiben Opfer des Lebens, bis ihnen jemand die Verbindung zwischen äußeren Erfahrungen und inneren Gedanken aufzeigt.

Problem	Überzeugung
Finanzielles Desaster	Ich bin es nicht wert, Geld zu haben.
Keine Freunde	Niemand liebt mich.
Berufliche Probleme	Ich bin nicht gut genug.
Es anderen immer recht machen wollen	Ich bekomme nie, was ich will.

Wie auch immer das Problem aussieht, es entsteht durch ein Gedankenmuster, und Gedankenmuster können verändert werden!

All diese Probleme, mit denen wir in unserem Leben ringen und jonglieren, mögen als wahr empfunden werden, mögen wahr erscheinen. Es spielt jedoch keine Rolle, wie schwierig ein Thema ist, es ist nur das äußere Ergebnis oder die Folge eines inneren Gedankenmusters.

Wenn Sie nicht wissen, welche Gedanken Ihre Probleme hervorrufen, dann sind Sie hier richtig, denn dieses Buch ist als Lösungshilfe für Sie entwickelt worden. Schauen Sie sich die Probleme Ihres Lebens an. Fragen Sie sich: »Durch welche meiner Gedanken wurden sie hervorgerufen?«

Wenn Sie sich ruhig hinsetzen und sich dann diese Fragen stellen, wird Ihnen Ihre innere Einsicht eine Antwort aufzeigen.

Es ist nur eine Überzeugung,
die Sie als Kind gelernt haben

Manches, was wir glauben, ist wirklich positiv und förderlich. Diese Gedanken helfen uns unser Leben lang, wie zum Beispiel: »Sieh in beide Richtungen, bevor du eine Straße überquerst.« Andere Gedanken sind anfangs sehr nützlich. Wenn wir aber heranwachsen, helfen sie uns nicht mehr. »Vertraue keinem Fremden« mag für ein kleines Kind ein guter Rat sein. Für einen Erwachsenen aber, der dies beibehält, wird er nur Isolation und Einsamkeit mit sich bringen.

Warum setzen wir uns so selten hin und fragen uns: »Stimmt das wirklich? Warum glaube ich zum Beispiel Dinge wie: Es fällt mir schwer zu lernen?«

Wir sollten uns Fragen stellen wie: »Ist das für mich immer noch wahr?« »Woher kommt dieser Glaubenssatz?« »Muss ich das immer noch glauben, bloß weil mein Lehrer in der ersten Klasse uns das ständig erzählt hat?« »Wäre es nicht viel besser für mich, diese Überzeugung endlich aufzugeben?«

Glaubenssätze wie »Jungen weinen nicht« und »Mädchen klettern nicht auf Bäume« bringen Männer hervor, die ihre Gefühle verbergen, und Frauen, die Angst davor haben, sich körperlich zu betätigen.

Wenn uns als Kind beigebracht wurde, dass die Welt ein gefährlicher Ort ist, dann werden wir alles, was wir hören und was zu dieser Überzeugung passt, als Wahrheit akzeptieren. Dasselbe trifft zu auf: »Vertraue keinem Fremden.« »Gehe abends nicht aus dem Haus.« Oder: »Man wird doch immer nur belogen und betrogen.«

Hätten wir andererseits in frühen Jahren gelernt, dass die Welt ein sicherer Ort ist, dann hätten wir andere Überzeugungen. Wir könnten leicht akzeptieren, dass es überall Zuneigung gibt, dass die Menschen freundlich sind und ich immer mit allem versorgt bin, was ich benötige.

Wenn Ihnen als Kind beigebracht wurde, dass »alles mein Fehler ist«, dann werden Sie immer herumlaufen und sich schuldig fühlen, gleichgültig, was geschieht. Durch Ihre Überzeugung sind Sie jemand, der ständig sagt: »Tut mir leid.«

Sollten Sie als Kind gelernt haben zu glauben: »Ich zähle nicht«, wird diese Überzeugung dafür sorgen, dass Sie im Leben immer zurückstecken und Ihre Bedürfnisse leugnen – so wie es mir als Kind erging, als ich glaubte, kein Anrecht auf Kuchen zu haben (s. Kapitel 16: *Meine Geschichte*).

Unsere Minderwertigkeitsgefühle können bewirken, dass wir uns regelrecht unsichtbar machen, und dann werden wir natürlich von anderen umsomehr übersehen und übergangen.

Wurde Ihnen in Ihrer Kindheit der Glaubenssatz »Niemand mag mich« beigebracht? Dann werden Sie sicher einsam sein. Und sollte es in Ihrem Leben dann doch einmal eine Freundschaft oder Beziehung geben, so wird sie wahrscheinlich nicht lange halten.

Hat Ihnen Ihre Familie beigebracht: »Es ist nie genug da«? Wenn ja, bin ich sicher, dass Sie oft das Gefühl haben, der Küchenschrank sei leer, und dass Sie nur knapp über die Runden kommen oder ständig Schulden haben.

Ich hatte einen Klienten, der in einem Haushalt aufwuchs, wo man glaubte, alles laufe falsch und könne nur immer schlechter werden. Seine größte Freude war, Tennis zu spielen, aber dann verletzte er sich am Knie. Er ging zu allen möglichen Ärzten, aber es wurde immer noch schlimmer. Zum Schluss konnte er überhaupt nicht mehr spielen.

Eine andere Person wuchs als Sohn eines Pfarrers auf. Als Kind wurde ihm beigebracht, dass die anderen vorgingen und man seine eigenen Bedürfnisse hintanstellen müsse. Die Familie des Pfarrers kam immer zuletzt. Heute gelingt es ihm wunderbar, seinen Kunden zum besten Geschäft zu verhelfen, doch er selbst hat ständig Schulden und kaum mehr als ein Taschengeld zum Leben. Seine Überzeugung bewirkt, dass er sich im Leben immer noch ganz hinten anstellt.

Was Sie glauben, scheint wahr zu sein

Wie oft haben wir schon gesagt: »So bin ich«, oder: »So ist es«? Diese Worte besagen aber eigentlich nur, dass das, was wir glauben, für uns wahr ist. In der Regel ist das, was wir glauben, nur die Meinung eines anderen, die wir aber unserem System von Glaubenssätzen einverleibt haben. Und daher passt es gut zu all den anderen Dingen, an die wir glauben.

Sind Sie einer von denen, die morgens aufstehen, sehen, dass es regnet, und sagen: »Oh, was für ein scheußlicher Tag!«? Es ist aber kein scheußlicher Tag. Es ist nur ein nasser Tag. Wir können auch an einem Regentag viel Spaß haben, wenn wir die passende Kleidung tragen und unsere Einstellung ändern.

Wenn es wirklich unsere Überzeugung ist, dass Regentage scheußlich sind, dann werden wir Regen immer mit niedergeschlagener Stimmung begrüßen. Wir werden gegen den Tag ankämpfen, statt uns dem Strom des augenblicklichen Geschehens anzuvertrauen.

Es gibt kein »gutes« oder »schlechtes« Wetter, es gibt nur Wetter und unsere persönliche Reaktion darauf.

Wenn wir ein frohes Leben wollen, müssen wir frohe Gedanken denken. Wenn wir ein erfolgreiches Leben wollen,

müssen wir Erfolgsgedanken denken. Wenn wir ein Leben voller Liebe wollen, müssen wir liebevolle Gedanken denken.

Was immer wir als Gedanke oder gesprochenes Wort aussenden, wird in gleicher Form zu uns zurückkehren.

Jeder Moment ist ein Neuanfang

Ich wiederhole: *Die Kraft, Dinge zu verändern, liegt immer in der Gegenwart.* Wir sind *niemals* festgefahren. Es gibt nur einen Ort, wo Veränderungen möglich sind: hier und jetzt in unserem eigenen Bewusstsein! Es ist gleichgültig, wie lange wir schon negative Verhaltensmuster, eine Krankheit, eine unbefriedigende Partnerschaft, Geldmangel oder Selbsthass erlebt haben.

Wir können gleich heute damit beginnen, eine Veränderung herbeizuführen. Ihr Problem braucht für Sie nicht länger wahr zu sein. Es kann jetzt in die Bedeutungslosigkeit zurücksinken, aus der es einmal gekommen ist. Sie können das schaffen!

Vergessen Sie niemals: Sie sind in Ihrem Bewusstsein der einzige Denker!

In Ihrer Welt sind Sie selbst die alleinige Macht und Autorität!

Ihre Gedanken und Überzeugungen aus der Vergangenheit haben diesen Moment erschaffen – ebenso wie alle anderen Momente Ihres bisherigen Lebens. Und was Sie ab jetzt glauben, denken und laut aussprechen, entscheidet darüber, wie der nächste Moment, der nächste Tag, der nächste Monat und das nächste Jahr aussehen werden.

Ja, liebe Leserin, lieber Leser! Ich kann Ihnen aufgrund meiner jahrelangen Erfahrung die wunderbarsten Ratschläge geben. Aber das alles wird Ihnen gar nichts nützen, wenn Sie sich weiterhin dafür entscheiden, dieselben alten Gedanken zu denken. Sie können es ablehnen, sich zu verändern, und dann werden Sie alle Ihre Probleme behalten.

Sie sind die schöpferische Macht in Ihrer Welt! Sie werden bekommen, was den von Ihnen selbst gewählten Gedankeninhalten entspricht.

Das Neue beginnt jetzt in diesem Moment. Jeder Moment ist ein Neuanfang, und Ihr Neuanfang kann jetzt stattfinden! Ist es nicht toll, das zu wissen! Hier und jetzt verfügen Sie über die Kraft, die Dinge zu verändern!

Ist es wirklich wahr?

Halten Sie einen Moment inne. Was denken Sie gerade? Wenn es stimmt, dass Ihre Gedanken Ihr Leben formen, möchten Sie dann, dass Ihre augenblicklichen Gedanken Wirklichkeit werden? Wenn es ein Gedanke der Unruhe, des Ärgers, des Verletztseins, der Rache oder der Angst ist, wie würde dieser Gedanke dann wieder zu Ihnen zurückkommen?

Es ist nicht immer einfach, Gedanken zu greifen, weil sie sich rasch bewegen. Wir können jedoch genau jetzt damit beginnen, aufmerksam auf das zu achten, was wir sagen. Wenn Sie merken, dass Sie irgendwelche negativen Worte benutzen, hören Sie mitten im Satz auf. Entweder Sie formulieren den Satz neu oder Sie lassen ihn einfach fallen. Sie könnten sogar zu ihm sagen: »Hinaus!«

Stellen Sie sich vor, Sie stehen in der Schlange eines Selbstbedienungsrestaurants oder am Buffet eines Luxushotels, wo es anstelle des Essens Gedanken-Mahlzeiten gibt. Sämtliche Gedanken stehen Ihnen zur freien Auswahl. Diese Gedanken bringen Ihre zukünftigen Erfahrungen hervor.

Wenn Sie sich jetzt für Gedanken entscheiden, die Probleme und Leiden hervorrufen, dann wäre das ganz schön dumm. Es wäre, als würden Sie Essen aussuchen, von dem Sie genau wissen, dass es Ihnen nicht bekommt. Das passiert uns vielleicht ein- oder zweimal, aber sobald wir gelernt haben, welches Essen unseren Körper durcheinanderbringt, lassen wir besser die Finger davon. Dasselbe gilt für Gedanken. Meiden Sie Gedanken, die Probleme und Leiden hervorrufen.

Einer meiner früheren Lehrer, Dr. Raymond Charles Barker, pflegte zu sagen: »Probleme werden oft nicht durch Handeln gelöst, sondern durch Einsicht.«

Mit unserem Geist erschaffen wir unsere Zukunft. Wenn wir etwas Unerwünschtes in unserem Leben sehen, dann müssen wir unseren Geist dazu einsetzen, die Situation zu verändern. Noch in dieser Sekunde können wir anfangen, die Situation zu verändern.

Das Thema »Wie unsere Gedanken funktionieren« sollte zum Pflichtfach an allen Schulen werden. Das ist einer meiner größten Wünsche. Ich habe nie verstanden, warum es wichtig sein soll, dass Kinder Kriegsdaten auswendig lernen. Was für eine enorme Verschwendung geistiger Energie! Stattdessen könnten wir sie in wichtigen Fächern unterrichten wie »Die Funktionsweise unseres Bewusstseins«, »Wie gehe ich mit Geld um?«, »Wie erschaffe ich mir finanzielle Sicherheit?«, »Wie wird man eine gute Mutter, ein guter Vater?«, »Freundschaften und Partnerschaften aufbauen und pflegen« und »Wie entwickle ich Selbstachtung und ein gutes Selbstwertgefühl?«.

Können Sie sich vorstellen, wie eine Erwachsenengeneration aussähe, die in der Schule neben dem üblichen Pensum in diesen Fächern unterrichtet würde? Stellen Sie sich vor, wie es wäre, wenn diese Wahrheiten sich manifestieren würden. Wir hätten glückliche Menschen, die mit sich zufrieden sind. Wir hätten Menschen, denen es finanziell gut geht und die die Wirtschaft bereichern, indem sie ihr Geld klug anlegen. Sie hätten zu jedem gute Beziehungen und würden sich in der Elternrolle wohlfühlen und würden ihrerseits eine neue Generation von Kindern prägen, die mit sich zufrieden sind. Trotzdem würde in diesem System jeder ein Individuum bleiben, das seine oder ihre Kreativität zum Ausdruck brächte.

In der Unendlichkeit des Lebens, dort, wo ich bin,
ist alles heil und vollkommen.

✳

Ich entscheide mich dafür, nicht länger an überholte
Begrenzungen und an Mangel zu glauben.
Ich beginne jetzt, mich so zu sehen,
wie das Universum mich sieht:
heil und vollkommen.

✳

Die Wahrheit meiner Existenz ist, dass ich
als perfektes Wesen erschaffen wurde.
Ich bin jetzt heil und vollkommen
und werde es immer sein.

✳

Ich entscheide mich jetzt dafür,
mein Leben in diesem Licht zu sehen.

✳

Ich bin zur richtigen Zeit am richtigen Ort
und tue genau das Richtige.

✳

Alles ist gut in meiner Welt.

5

Was tun wir jetzt?

*»Ich sehe meine Verhaltensmuster und
entscheide mich, Veränderungen vorzunehmen.«*

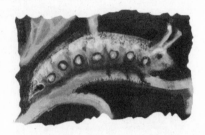

Entscheiden Sie sich
für die Veränderung

Viele Menschen reagieren an dieser Stelle so, dass sie entweder die Hände über dem Kopf zusammenschlagen, entsetzt über die sogenannte Unordnung in ihrem Leben, oder sie geben auf. Andere werden wütend über sich oder das Leben und geben ebenfalls auf.

Mit »aufgeben« meine ich die Entscheidung: »Es ist alles hoffnungslos, es ist unmöglich, Veränderungen vorzunehmen. Weshalb soll ich es also versuchen?« Und dann sagt man sich: »Bleib einfach, wie du bist. Wenigstens weißt du, wie du mit diesem Leiden umzugehen hast. Es gefällt dir zwar nicht, aber es ist dir vertraut und du hoffst, dass es nicht schlimmer wird.«

Für mich ist gewohnheitsmäßiger Ärger so, als würde man mit einer Narrenkappe in einer Ecke sitzen. Klingt das vertraut? Etwas passiert, und Sie ärgern sich. Etwas anderes passiert, und Sie ärgern sich wieder. Noch etwas anderes passiert, und Sie ärgern sich wieder. Noch etwas passiert, und Sie ärgern sich einmal mehr. Aber Sie kommen Ihrem Ärger nicht auf die Spur.

Was bringt Ihnen das? Es ist eine dumme Reaktion, Ihre Zeit mit Ärger zu verschwenden. Es ist auch eine Verweigerung, das Leben in neuem und anderem Licht zu sehen.

Es würde Ihnen mehr helfen, sich zu fragen, warum in Ihrem Leben so viele Situationen entstehen, über die Sie sich ärgern.

Was verursacht all diese Frustrationen? Was zeigen Sie nach außen, das andere reizt, Sie aus der Ruhe zu bringen? Warum brauchen Sie Ärger, um zurechtzukommen?

Was immer Sie nach außen zeigen, es kommt zu Ihnen zurück. Je mehr Ärger Sie erleben, desto häufiger rufen Sie Situationen hervor, über die Sie sich ärgern.

Ärgern Sie sich über dieses Kapitel? Sehr gut! Es muss ins Schwarze treffen. Denn das ist etwas, was Sie verändern können.

Entscheiden Sie:
»Ich bin bereit, mich zu verändern.«

Wenn Sie wirklich wissen wollen, wie stur Sie sind, machen Sie sich mit dem Gedanken vertraut, sich bereitwillig zu verändern. Wir möchten alle, dass sich unser Leben verändert, dass die Umstände besser und einfacher werden, aber wir selbst wollen uns nicht verändern. Wir hätten es lieber, dass *sie*, die anderen, sich verändern. Doch die Veränderung muss aus uns selbst kommen. Wir müssen unsere Denkweise verändern, unsere Redeweise verändern, die Art und Weise unseres Selbstausdrucks verändern. Nur dann werden auch äußere Veränderungen stattfinden.

Nun folgt der nächste Schritt: Wir sind uns einigermaßen klar darüber, um welche Probleme es geht und woher sie kommen. Jetzt gilt es, die Veränderung wirklich zu wollen.

Ich habe innerlich immer eine Neigung zur Sturheit gehabt. Sogar jetzt, wenn ich mich hin und wieder dazu entschließe, in meinem Leben etwas zu verändern, kann diese Sturheit an die Oberfläche gelangen. Der Widerstand, mein Denken zu verändern, ist stark. Ich kann zeitweise hochnäsig, wütend und verschlossen sein.

Ja sogar nach all den Jahren meiner Arbeit gehen noch immer solche Dinge in mir vor. Das ist eine meiner Lektionen. Aber wenn mir das heute passiert, weiß ich, dass es Zeit für eine wichtige und notwendige Veränderung ist. Jedes Mal, wenn ich in meinem Leben etwas verändern, mich von etwas lösen will, versenke ich mich noch tiefer in mich, um es zu erreichen.

Jede alte Schicht muss weichen, damit sie durch neues Denken ersetzt werden kann. Das ist manchmal sehr leicht und manchmal, als wollte man einen Felsen mit einer Feder heben.

Je mehr ich an einer alten Überzeugung festhalte, obwohl ich sage, dass ich mich verändern will, desto mehr weiß ich, dass ich sie dringend aufgeben muss. Nur weil ich auch selbst all das durchmache und daraus lerne, kann ich andere darin unterrichten.

Meiner Meinung nach kommen viele wirklich gute Lehrer nicht aus fröhlichen Familien, wo alles einfach war. Sie hatten viel Schmerz und Leid zu ertragen und haben sich durch diese Schichten gearbeitet, um dorthin zu gelangen, wo sie heute anderen bei der Selbstbefreiung helfen können. Die meisten guten Lehrer arbeiten beständig daran, sich von noch mehr zu lösen, noch tiefer sitzende Schichten der Einengung zu entfernen. Das wird zur lebenslangen Aufgabe.

Der Hauptunterschied zwischen der Art, wie ich mich früher von Überzeugungen löste, und der Art, wie ich es heute tue, ist, dass ich nicht länger wütend auf mich sein muss, um es durchführen zu können. Ich denke nicht mehr, ich wäre ein schlechter Mensch, nur weil ich etwas an mir verändern möchte.

Hausputz

Heute gleicht meine geistige Arbeit mehr einem Hausputz. Ich gehe durch meine geistigen Zimmer und prüfe die Gedanken und Überzeugungen, die ich vorfinde. Manche liebe ich, deshalb poliere ich sie gut und verhelfe ihnen zu noch mehr Nützlichkeit. Manche müssen ersetzt oder repariert werden. Manche sind wie alte Zeitungen und Zeitschriften oder wie Kleider, die nicht länger passen. Diese rangiere ich für immer aus und werfe sie in den Müll.

Um das tun zu können, ist es für mich nicht mehr notwendig, wütend zu sein oder mich als schlechter Mensch zu fühlen.

Übung: Ich bin bereit, mich zu verändern

Benutzen wir die Affirmation »Ich bin bereit, mich zu verändern«. Wiederholen Sie oft: »Ich bin bereit, mich zu verändern. Ich bin bereit, mich zu verändern.« Sie können Ihre Hand an Ihre Kehle legen, während Sie das sagen. Die Kehle ist das Energiezentrum im Körper, wo Veränderungen stattfinden. Durch das Berühren der Kehle bestätigen Sie, dass Sie sich in einem Veränderungsprozess befinden.
Seien Sie willens, die Veränderungen zuzulassen, die sich in Ihrem Leben bemerkbar machen. Seien Sie sich im Klaren darüber, dass das, was Sie eigentlich nicht verändern wollen, genau dasjenige ist, was Sie am dringendsten verändern müssen. »Ich bin bereit, mich zu verändern.«

Die universale Intelligenz antwortet immer auf Ihre Gedanken und Worte. Wenn Sie diese Affirmation anwenden, wird sich Ihre Situation ganz gewiss verändern.

Viele Wege zur Veränderung

Das Arbeiten mit meinen Vorstellungen ist nicht der einzige Weg zur Veränderung. Es gibt viele andere Methoden, die auch gut funktionieren. Am Ende des Buches finden Sie eine Liste verschiedener Möglichkeiten, wie Sie Ihre Selbstentwicklung angehen können.

Lassen Sie uns jetzt einige davon betrachten: Es gibt die spirituelle (seelische), die geistige und die körperliche Herangehensweise. Holistische Heilung umfasst Körper, Geist und Seele. Sie können mit jedem dieser Bereiche anfangen, solange Sie am Ende alle Bereiche einbeziehen.

Einige fangen geistig an und besuchen Seminare oder Therapien. Andere fangen im spirituellen bzw. seelischen Bereich mit Meditation oder Gebet an.

Wenn Sie mit Ihrem Hausputz anfangen, spielt es wirklich keine Rolle, in welchem Raum Sie beginnen. Fangen Sie in dem Bereich an, der Ihnen am meisten liegt. Die anderen erledigen sich dann wie von selbst.

»Junkfood«-Esser, die auf der spirituellen Ebene beginnen, entdecken oft, dass sie sich zum Thema Ernährung hingezogen fühlen. Sie treffen einen Freund, finden ein Buch oder besuchen einen Kurs, der sie zu der Erkenntnis hinführt, dass das, was sie in ihren Körper hineintun, viel damit zu tun haben wird, wie sie sich fühlen und wie sie aussehen. Eine Ebene wird immer zur nächsten führen, solange die Bereitschaft vorhanden ist, sich zu entwickeln und zu verändern.

Ich gebe sehr wenige Ernährungsratschläge, weil ich festgestellt habe, dass dafür kein Patentrezept existiert und die Bedürfnisse der Menschen individuell verschieden sind. Zu Hause habe ich ein Netzwerk von guten holistischen Ärzten, an die ich meine Patienten verweise, wenn ich die Notwendigkeit für eine Ernährungsberatung sehe. Das ist ein Gebiet, für das Sie Ihren eigenen Weg finden oder zu einem Spezialisten gehen müssen, der Tests mit Ihnen durchführen kann.

Viele Bücher über Ernährung sind von Menschen geschrieben worden, die sehr krank waren und dann ein System entdeckten, das bei ihnen zur Gesundung führte. Dann schreiben sie ein Buch, in dem sie ihre Methode als Allheilmittel propagieren. Aber die Menschen sind verschieden!

Zum Beispiel sind die makrobiotische und die Rohkostdiät zwei völlig verschiedene Methoden. Die Rohkostfans kochen nichts, sie essen selten Brot oder Getreide und achten sehr darauf, nicht zur gleichen Mahlzeit Obst und Gemüse zu essen. Und sie benutzen kein Salz. Die makrobiotisch orientierten Leute dagegen kochen fast alles, haben ein völlig anderes System der Nahrungskombination und benutzen viel Salz. Beide Systeme funktionieren. Beide Syste-

me führen bei manchen Menschen zur körperlichen Heilung. Beide Systeme werden von manchen Menschen sehr gut vertragen, können für andere hingegen ausgesprochen ungesund sein.

Meine persönliche Ernährungsmethode ist einfach. Wenn etwas natürlich gewachsen und organisch erzeugt ist, iss es. Wenn etwas nicht natürlich gewachsen, sondern künstlich industriell hergestellt ist, iss es nicht.

Essen Sie bewusst, ganz so, wie Sie auch bewusst auf Ihre Gedanken achten sollten. Wir können lernen, auf unseren Körper und die Reaktionen, die unterschiedliche Speisen in ihm auslösen, zu achten.

Nach einem Leben, in dem Sie den negativen geistigen Vorgängen freien Lauf gelassen haben, ist geistiges Reinemachen ein bisschen wie das Praktizieren eines guten Ernährungsprogramms, nachdem Sie ein Leben lang dem »Junkfood« gefrönt haben. Beides – geistiges Reinemachen und Ernährungsprogramm – kann Krisen während der Heilung hervorrufen. Sobald Sie Ihre körperliche Diät ändern, beginnt der Körper, die Ansammlung von toxischen Resten abzubauen. Während das geschieht, fühlen Sie sich vielleicht ein oder zwei Tage ziemlich elend. So ist es auch, wenn Sie sich entschieden haben, die geistigen Denkmuster zu verändern. Ihre Lebensumstände scheinen anfänglich möglicherweise ungünstiger, zumindest für eine Weile.

Rufen Sie sich für einen Moment das Ende eines Thanksgiving-Essens ins Gedächtnis. Das Essen ist verspeist, und es ist an der Zeit, die Truthahnpfanne sauber zu machen. In der Pfanne ist alles angebrannt und verkrustet, deshalb geben Sie heißes Wasser und Spülmittel hinein und lassen es eine Weile einwirken. Dann fangen Sie an, die Pfanne sauber zu schrubben. Zunächst sieht es noch schlimmer aus als vorher. Aber wenn Sie einfach weiterscheuern, ist die Pfanne schon bald wieder wie neu.

Das Gleiche gilt für das Beseitigen eines eingetrockneten, verkrusteten geistigen Musters. Wenn wir neue Ideen darauf einwirken lassen, kommt der ganze Schmutz an die Oberfläche, sodass Sie ihn sehen können. Wenn Sie nun konsequent mit den neuen Affirmationen weitermachen, ist das alte Muster schon bald völlig beseitigt.

Übung: Der Wille zur Veränderung

Nun haben wir uns also entschlossen, uns zu verändern, und sind bereit, jede Methode anzuwenden, die bei uns funktioniert. Lassen Sie mich eine Methode beschreiben, die ich bei mir selbst und bei anderen erfolgreich anwende.

Erstens: Schauen Sie in einen Spiegel und sagen Sie zu sich: »Ich bin bereit, mich zu verändern.«
Achten Sie darauf, wie Sie sich fühlen. Wenn Sie zögern oder widerwillig sind oder sich einfach nicht verändern wollen, fragen Sie sich selbst, warum. An welcher alten Überzeugung halten Sie fest? Bitte beschimpfen Sie sich nicht, achten Sie nur darauf, was es ist. Ich könnte wetten, dass diese Überzeugung Ihnen schon viel Ärger verursacht hat. Ich frage mich, woher sie kommt. Wissen Sie es?
Ob wir wissen, woher sie kam, oder nicht, lassen Sie uns jetzt etwas tun, um sie zu beseitigen. Gehen Sie wieder zum Spiegel, und während Sie sich tief in die Augen schauen, berühren Sie Ihre Kehle und sagen zehnmal laut: »Ich bin bereit, jeden Widerstand aufzugeben.«

Spiegelarbeit ist sehr wirkungsvoll. Als Kinder erhielten wir die meisten negativen Botschaften von Erwachsenen, die uns direkt in die Augen sahen und uns vielleicht mit dem Finger drohten. Jedes Mal, wenn wir heute in den Spiegel schauen, werden die meisten von uns etwas Negatives zu sich selbst sagen. Wir kritisieren unser Aussehen oder putzen uns wegen irgendetwas anderem herunter. Sich selbst in die Augen zu schauen und dabei laut etwas Positives über sich zu sagen, ist, meiner Meinung nach, der schnellste Weg, mit Affirmationen Resultate zu erzielen.

In der Unendlichkeit des Seins, dort, wo ich bin,
ist alles heil und vollkommen.

✳

Ich entscheide mich jetzt, ruhig und objektiv
meine alten Muster anzusehen, und bin bereit,
Veränderungen vorzunehmen.

✳

Ich bin lernfähig. Ich bin bereit, mich zu verändern.

✳

Ich entscheide mich, dabei Spaß zu haben.

✳

Wenn ich etwas entdecke, wovon ich mich lösen muss,
reagiere ich, als hätte ich einen Schatz gefunden.

✳

Ich sehe und fühle, dass ich mich von Augenblick
zu Augenblick verändere.

✳

Gedanken haben keine Macht mehr über mich.

✳

Ich bin die Macht in meiner Welt.
Ich entscheide, frei zu sein.

✳

Alles ist gut in meiner Welt.

6

Widerstand gegen Veränderungen

*»Ich befinde mich im Rhythmus und Strom
eines sich ständig verändernden Lebens.«*

Bewusstwerdung ist der erste Schritt
zu Heilung und Veränderung

Wenn wir einige tief in uns verankerte Muster haben, müssen wir uns ihrer bewusst werden, um diesen Zustand heilen zu können.

Vielleicht fangen wir damit an, den Zustand beim Namen zu nennen, uns über ihn zu beklagen oder ihn in anderen Menschen wiederzuerkennen. Er gelangt irgendwie an die Oberfläche unserer Aufmerksamkeit, und wir beginnen, eine Verbindung zu ihm herzustellen. Oft ziehen wir dann einen Lehrer, einen Freund, einen Kurs, ein Seminar oder ein Buch an, die alle beginnen, uns neue Methoden zur Lösung des Problems aufzuzeigen.

Bei mir begann es mit einer zufälligen Bemerkung eines Freundes, dem von einem Treffen erzählt worden war. Mein Freund ging nicht hin, aber irgendetwas in mir reagierte, und ich ging hin. Dieses kleine Treffen war der erste Schritt auf meinem Weg zur Entfaltung. Ich erkannte die Bedeutsamkeit dieses Treffens erst einige Zeit später.

Unsere Reaktion auf diesen ersten Kontakt besteht oft darin, dass wir die Methode als dumm oder sinnlos abtun. Vielleicht erscheint sie uns zu simpel oder für unsere Denkweise nicht akzeptabel.

Wir wollen es nicht. Unser Widerstand ist stark.

Wir ärgern uns vielleicht schon bei dem bloßen Gedanken, es zu tun.

Eine solche Reaktion des Widerstands ist sehr gut, wenn wir begreifen, dass sie der erste Schritt zu unserem Heilungsprozess ist.

Ich erzähle den Leuten, dass solche Reaktionen dazu da sind, ihnen zu zeigen, dass sie sich bereits im Heilungsprozess befinden, obwohl die völlige Heilung noch nicht erreicht ist. Die Wahrheit ist, dass der Prozess in dem Augenblick beginnt, in dem wir über Veränderungen nachdenken.

Ungeduld ist nur eine andere Form des Widerstandes. Es ist Widerstand gegen Lernen und Veränderungen. Wenn wir

fordern, dass etwas in genau diesem Moment erledigt und abgeschlossen sein muss, dann nehmen wir uns nicht die Zeit, diejenige Lektion zu lernen, die zu dem von uns geschaffenen Problem gehört. Wenn Sie in ein anderes Zimmer gehen wollen, müssen Sie aufstehen und sich Schritt für Schritt in die entsprechende Richtung bewegen. Einfach im Stuhl sitzen und fordern, im anderen Zimmer sein zu wol-

len, wird nicht funktionieren. Hier ist es dasselbe: Wir alle wollen das Problem hinter uns haben, aber wir wollen nicht die kleinen Schritte gehen, die zu seiner Lösung führen.

Zunächst müssen wir unsere Verantwortung anerkennen, eine Situation oder einen Zustand geschaffen zu haben. Ich spreche weder davon, Schuld zu haben, noch davon, ein schlechter Mensch zu sein, weil Sie sind, wo Sie jetzt sind. Ich spreche davon, »die Macht in uns« zu erkennen, die alle unsere Gedanken zu Erfahrungen umformt. In der Vergangenheit haben wir diese Macht benutzt, etwas zu erschaffen, was wir nicht erfahren wollten. Wir haben nicht bewusst gehandelt. Jetzt, indem wir unsere Verantwortung akzeptieren, lernen wir, diese Macht gezielt und positiv zu unseren Gunsten einzusetzen.

Wenn ich einem Klienten eine Lösung vorschlage – eine neue Art, sich mit einer Sache zu befassen oder jemandem zu verzeihen –, sehe ich oft, wie er seine Kiefer anspannt oder abwehrend die Arme vor der Brust verschränkt. Vielleicht werden sogar die Fäuste geballt. Innerer Widerstand kommt zum Vorschein, und daran sehe ich, dass wir genau den Punkt getroffen haben, der bearbeitet werden muss.

Wir alle haben unsere Lektionen zu lernen. Die Themen, die uns so schwierig erscheinen, sind nur die Lektionen, die wir uns ausgesucht haben.

Wenn uns etwas leichtfällt, ist es keine Lektion, sondern wir wissen es bereits.

Durch Bewusstheit
können die Lektionen gelernt werden

Denken Sie an das, was Ihnen gerade am schwersten fällt und wogegen Sie den stärksten Widerstand verspüren: Das ist zurzeit Ihre wichtigste Lektion. Der nächste Schritt wird Ihnen leichter fallen, wenn Sie sich fügen, den Widerstand aufgeben und sich dafür öffnen, zu lernen, was Sie lernen müssen. Lassen Sie sich von Ihrem Widerstand nicht abhalten, sich zu verändern. Wir können auf zwei Ebenen arbeiten:

1. Den Widerstand wahrnehmen und beobachten und
2. trotzdem die nötigen geistigen Veränderungen durchführen.

Beobachten Sie sich selbst, achten Sie darauf, wie Sie Widerstand leisten, machen Sie aber dennoch mit den Veränderungen weiter.

Nonverbale Hinweise

Oft zeigt sich der Widerstand an unserem Verhalten. Zum Beispiel:

– Ändern des Themas
– Das Zimmer verlassen
– Ins Badezimmer gehen
– Zu spät kommen
– Krank werden
– Zögern
– Etwas anderes tun

- Mit Arbeit beschäftigt sein
- Zeit verschwenden
- Wegsehen oder aus dem Fenster schauen
- Eine Zeitschrift durchblättern
- Aufmerksamkeit verweigern
- Essen, trinken oder rauchen
- Eine Beziehung beginnen oder beenden
- Pannen erschaffen: am Auto, an Haushaltsgeräten usw.

Vermutungen

Wir stellen oft Vermutungen über andere an, um unseren Widerstand zu rechtfertigen. Zum Beispiel sagen wir:

- Es würde ohnehin nicht helfen.
- Meine Frau/mein Mann wird es nicht verstehen.
- Ich müsste meine ganze Persönlichkeit verändern.
- Nur verrückte Leute gehen zu Therapeuten.
- Sie konnten mir bei meinem Problem nicht helfen.
- Sie konnten mit meinem Ärger nicht um-
  gehen.
- Mein Fall liegt anders.
- Ich möchte sie nicht belästigen.
- Es wird sich von alleine lösen.
- Niemand sonst tut es.

Überzeugungen

Wir wachsen mit Überzeugungen auf, die bewirken, dass wir uns gegen Veränderungen sträuben. Einige dieser einengenden Gedanken lauten:

- Das gehört sich nicht.
- Das ist einfach nicht richtig.
- Ich habe nicht das Recht, es zu tun.
- Das wäre spirituell unangemessen.
- Spirituelle Menschen werden nicht wütend.
- Männer/Frauen tun das einfach nicht.
- Meine Familie hat das nie getan.
- Für mich gibt es keine Liebe.
- Ich müsste zu weit fahren.
- Es ist zu viel Arbeit.
- Es ist zu teuer.
- Es wird zu lange dauern.
- Ich glaube nicht daran.
- So ein Mensch bin ich nicht.

Die anderen

Wir geben unsere Macht an andere weg und benutzen das als Entschuldigung für unseren Widerstand gegen Veränderungen. Wir haben Gedanken wie:

- Das ist nicht Gottes Wille.
- Ich warte darauf, dass die Sterne sagen, es ist in Ordnung.
- Hier ist nicht die richtige Umgebung.
- Die anderen werden nicht zulassen, dass ich mich verändere.
- Ich habe nicht den richtigen Lehrer, das richtige Buch, den richtigen Kurs, die richtigen Hilfsmittel.
- Mein Arzt will nicht, dass ich das tue.
- Ich bekomme keinen Urlaub.
- Ich will mich nicht beeinflussen lassen.
- Die anderen sind an allem schuld.
- Die anderen müssen sich zuerst verändern.
- Ich werde es tun, sobald ich _____ bekomme.
- Die anderen würden mich nicht verstehen.
- Ich möchte niemanden verletzen.
- Es steht im Widerspruch zu meiner Erziehung, Religion, Philosophie.

Vorurteile

Wir haben Gedanken über uns selbst, die wir als Begrenzung oder Widerstand gegen Veränderungen benutzen. Wir sind:

- zu alt
- zu jung
- zu dick
- zu dünn
- zu klein
- zu groß
- zu faul
- zu stark
- zu schwach
- zu dumm
- zu klug
- zu arm
- zu wertlos
- zu leichtsinnig
- zu ernsthaft
- zu festgefahren
- Vielleicht ist uns einfach alles zu viel.

Verzögerungstaktik

Unser Widerstand äußert sich oft als Verzögerungstaktik. Wir benutzen Entschuldigungen wie:

- Das tue ich später.
- Ich bin jetzt nicht in der Stimmung zum Nachdenken.
- Ich habe gerade keine Zeit.

– Es würde mich von der Arbeit abhalten.
– Ja, das ist eine gute Idee. Aber bitte nicht jetzt.
– Ich habe zu viele andere Dinge zu tun.
– Ich werde morgen darüber nachdenken.
– Sobald ich mit _____ fertig bin.
– Sobald ich von dieser Reise zurück bin.
– Es ist einfach nicht der richtige Zeitpunkt.
– Es ist zu spät oder zu früh.

Leugnung

Diese Form des Widerstandes zeigt sich darin, dass wir es ablehnen, irgendeine Veränderung als nötig zu betrachten. Zum Beispiel:

– Mit mir ist doch alles in Ordnung.
– Ich kann gegen dieses Problem nichts unternehmen.
– Das letzte Mal ist es schließlich auch gut gegangen.
– Welchen Nutzen hätte eine Veränderung?
– Wenn ich das Problem nicht beachte, verschwindet es vielleicht von alleine.

Angst

Die bei weitem größte Ursache für Widerstand ist Angst – Angst vor dem Unbekannten. Kommen Ihnen Sätze wie die folgenden bekannt vor?

– Ich bin noch nicht bereit.
– Ich könnte versagen.
– Die anderen könnten mich ablehnen.

- Was würden die Nachbarn denken?
- Ich habe Angst, es meiner Frau/meinem Mann zu erzählen.
- Ich könnte mich verletzen.
- Ich müsste mich vielleicht verändern.
- Es könnte mich Geld kosten.
- Lieber will ich sterben oder mich scheiden lassen!
- Niemand soll erfahren, dass ich ein Problem habe.
- Ich habe Angst, meine Gefühle zu zeigen.
- Ich will nicht darüber sprechen.
- Ich habe nicht genug Energie dafür.
- Wo werde ich bloß enden?
- Ich könnte meine Freiheit verlieren.
- Es ist schwierig durchzuführen.
- Ich habe jetzt nicht genug Geld.
- Nachher verletze ich mir dabei den Rücken.
- Ich wäre nicht vollkommen.
- Ich könnte meine Freunde verlieren.
- Ich vertraue niemandem.
- Ich könnte mein Ansehen zerstören.
- Ich bin nicht gut genug.

Eine endlose Liste. Finden Sie Ihren Widerstand auf der Liste? Suchen Sie in diesen Beispielen Ihren ganz persönlichen Widerstand.

Eine Klientin kam zu mir, weil sie starke Schmerzen hatte. Sie hatte sich bei drei verschiedenen Autounfällen das Rückgrat, die Halswirbelsäule und das Knie gebrochen. Sie kam zu spät, hatte sich verfahren und war auch noch im Verkehr stecken geblieben.

Es fiel ihr leicht, mir all ihre Probleme zu erzählen, aber sobald ich sagte: »Lassen Sie mich einen Augenblick sprechen«, wurde sie ziemlich unruhig. Ihre Kontaktlinsen fingen gerade an, sie zu stören. Sie wollte auf einem anderen Stuhl sitzen. Sie musste zur Toilette. Dann mussten ihre Linsen heraus. Für den Rest der Sitzung konnte ich ihre Aufmerksamkeit nicht mehr gewinnen.

Das war alles Widerstand. Sie war nicht bereit, sich von etwas zu lösen und geheilt zu werden. Ich fand heraus, dass ihre Schwester sich auch zweimal das Rückgrat gebrochen hatte, ebenso wie ihre Mutter.

Ein anderer Klient war Schauspieler, Komiker, ein Straßenkünstler, und ein ziemlich guter sogar. Er prahlte damit, wie gerissen er darin war, andere, besonders Ämter, zu betrügen. Er verstand es, sich recht geschickt durchs Leben zu mogeln, aber in erster Linie betrog er dabei sich selbst. Er war ständig pleite, mindestens einen Monat mit der Miete im Rückstand, oft ohne Telefon. Seine Kleidung war schäbig, Arbeit fand er nur sporadisch, er litt unter allerlei körperlichen Beschwerden und sein Liebesleben war gleich null.

Seine Theorie lautete, dass er erst mit der Betrügerei aufhören könne, wenn etwas Gutes in seinem Leben passieren würde.

Aber natürlich konnte nichts Gutes in seinem Leben passieren, solange er so mit sich selbst und seinen Mitmenschen umging. Das war nur möglich, wenn er endlich mit dem Betrügen aufhörte.

Sein Widerstand äußerte sich in der Verweigerung, seine alten Methoden aufzugeben.

Lassen Sie Ihre Freunde aus dem Spiel

Anstatt an unseren eigenen Veränderungen zu arbeiten, machen wir uns Gedanken darüber, wie unsere Freunde sich unserer Meinung nach verändern sollten. Auch das ist Widerstand.

Ich hatte zu Beginn meiner Arbeit eine Klientin, die mich immer wieder zu ihren Freunden ins Krankenhaus schickte. Anstatt ihnen Blumen zu schicken, wollte sie, dass ich deren Probleme in Ordnung bringe. Ich kam hin mit meinem Tonband in der Hand und fand jedes Mal jemanden im Bett, der nicht wusste, warum ich da war, oder nicht verstand, was ich tat.

Das war, bevor ich gelernt hatte, ausschließlich mit Klienten zu arbeiten, die das auch wirklich wollen.

Manchmal kommen Klienten zu mir, weil ein Freund ihnen eine Sitzung geschenkt hat. Normalerweise funktioniert das nicht so gut. Sie kommen deswegen auch nur selten zu weiterer Arbeit wieder.

Wenn bei uns etwas gut funktioniert, wollen wir es mit
anderen teilen. Aber die anderen sind zu diesem Zeitpunkt
und an diesem Ort vielleicht noch nicht bereit, sich zu verändern. Es ist schwierig genug, Veränderungen durchzuführen, wenn wir es wollen, aber der Versuch, jemand anderen dazu zu bewegen, sich zu verändern, wenn er oder
sie es nicht will, ist umsonst und kann eine gute Freundschaft ruinieren. Ich arbeite mit meinen Klienten, weil sie
aus eigenem Antrieb zu mir kommen. Meinen Freunden er-
teile ich aber keinen ungebetenen Rat.

Spiegelarbeit

Spiegel reflektieren unsere eigenen Gefühle uns selbst gegenüber. Sie zeigen uns klar und deutlich die Bereiche, die
verändert werden sollten, wenn wir ein erfreuliches und erfülltes Leben haben möchten.

Ich bitte die Menschen, jedes Mal, wenn sie an einem Spiegel vorbeigehen, sich in die Augen zu schauen und etwas
Positives über sich selbst zu sagen. Die wirkungsvollste Art,
mit Affirmationen zu arbeiten, besteht darin, in den Spiegel
zu schauen und sie laut auszusprechen. Sofort werden Sie
sich des Widerstandes bewusst und können ihn schneller
überwinden. Es ist gut, einen Spiegel zur Hand zu haben,
während Sie dieses Buch lesen.

Benutzen Sie ihn möglichst oft für Ihre Affirmationen, und
überprüfen Sie gleichzeitig, wo Sie widerwillig und wo Sie
offen und flexibel sind.

Jetzt schauen Sie bitte in einen Spiegel und sagen Sie zu sich: »Ich bin bereit, mich zu verändern.«

Beobachten Sie, wie Sie sich fühlen. Wenn Sie zögern, widerwillig sind oder sich einfach nicht verändern wollen, dann fragen Sie sich, warum. An welcher alten Überzeugung halten Sie noch fest? Jetzt ist nicht die Zeit, sich selbst zu beschimpfen.

Stellen Sie nur fest, was vor sich geht und welche Überzeugung an die Oberfläche gelangt. Sie ist es, die Ihnen eine Menge Ärger bereitet hat. Können Sie erkennen, woher sie kam?

Wenn wir unsere Affirmationen formulieren und sie uns nicht richtig vorkommen oder nichts zu geschehen scheint, ist es sehr einfach zu sagen: »Oh, Affirmationen funktionieren nicht.«

Nicht die Affirmationen sind es, die nicht funktionieren, sondern wir müssen einen Schritt vorher ansetzen, nämlich bevor wir unsere Affirmationen formulieren.

Wiederkehrende Muster zeigen uns unsere Bedürfnisse

In uns gibt es ein *Bedürfnis* nach jeder Gewohnheit, nach jeder Erfahrung, die wir immer wieder machen, nach jedem Muster, das wir wiederholen. Das Bedürfnis entspricht einer Überzeugung, die wir haben. Wenn nicht das Bedürfnis wäre, brauchten wir es nicht zu haben, nicht zu tun oder nicht zu sein.

Etwas in uns braucht das Fett, die Süßigkeiten, die armselige Beziehung, die Misserfolge, den Alkohol, die Zigaretten, den Ärger, die Armut, den Missbrauch oder welches Problem wir auch haben.

Wie oft haben wir gesagt: »Ich will das nicht wieder tun!«
Aber noch bevor der Tag dann zu Ende war, hatten wir unser Stück Kuchen gegessen, unsere Zigaretten geraucht, unseren Schluck Alkohol getrunken, hässliche Dinge zu denen gesagt, die wir lieben, usw.

Dann lösen wir das ganze Problem, indem wir wütend zu uns sagen: »Oh, du besitzt keine Willensstärke, keine Disziplin. Du bist einfach nur schwach.«

Das kommt dann noch zu der Last an Schuldgefühlen hinzu, die wir bereits mit uns herumschleppen.

Es hat nichts mit Willensstärke oder Disziplin zu tun

Gleichgültig, wovon auch immer wir uns in unserem Leben trennen wollen, es ist nur ein Symptom, ein äußeres Zeichen.

Der Versuch, das Symptom zu beseitigen, ohne die Ursache auszuräumen, ist vollkommen nutzlos. Denn sobald unsere Willensstärke oder Disziplin nachlässt, taucht das Symptom wieder auf.

Die Bereitschaft, sich vom Bedürfnis zu lösen

Ich sage zu meinen Klienten: »In Ihnen muss ein Bedürfnis nach diesem Zustand sein, sonst hätten Sie ihn nicht. Lassen Sie uns einen Schritt zurückgehen und an Ihrer Bereitschaft arbeiten, *sich von einem Bedürfnis zu lösen*. Wenn das Bedürfnis verschwunden ist, werden Sie kein Verlangen mehr haben nach Zigaretten, nach zu viel Essen oder negativen Verhaltensmustern.«

Eine der ersten nützlichen Affirmationen ist: »Ich bin bereit, mich von dem *Bedürfnis* nach Widerstand, nach Kopfschmerzen, nach Verstopfung, nach Übergewicht, Geldmangel oder was auch immer, zu lösen.« Sagen Sie: »Ich bin bereit, mich von dem Bedürfnis nach... zu lösen.« Wenn Sie schon an diesem Punkt Widerstand leisten, dann können auch die anderen Affirmationen nicht funktionieren.

Die Netze, die wir um uns herum schaffen, müssen entflochten werden. Wenn Sie schon jemals versucht haben, ein Schnurknäuel zu entwirren, dann wissen Sie, dass es durch heftiges Ziehen und Zerren nur schlimmer wird. Sie müssen sehr vorsichtig und geduldig die Knoten entwirren.

Seien Sie auch mit *sich* vorsichtig und geduldig, wenn Sie Ihre geistigen Knoten entwirren. Holen Sie sich Hilfe, wenn Sie sie brauchen. Vor allem: Lieben Sie sich selbst während dieses Vorgangs. Die *Bereitschaft*, Altes hinter sich zu lassen, ist der Schlüssel. Das ist das Geheimnis.

Wenn ich davon spreche, »ein Bedürfnis nach einem Problem zu haben«, dann meine ich, dass wir entsprechend unserer individuellen Zusammensetzung von Gedankenmustern das *Bedürfnis* nach bestimmten äußeren Wirkungen oder Erfahrungen haben. Jede äußere Wirkung ist der natürliche Ausdruck eines inneren Gedankenmusters. Es ist verschwendete Energie und verstärkt oft das Problem nur zusätzlich, wenn man nur gegen die äußere Wirkung, also das Symptom, kämpft.

»Ich bin wertlos« verursacht Zögern

Eine meiner nach außen hin wirkenden Eigenschaften wird wahrscheinlich das Hinausschieben sein, wenn eines meiner inneren Überzeugungssysteme oder Gedankenmuster »Ich bin wertlos« lautet. Zögern ist letztlich aber einfach nur ein Weg, uns selbst von dort fernzuhalten, wohin wir wollen. Die meisten zögernden Menschen werden viel Zeit und Energie verbrauchen, sich wegen des Zögerns zu beschimpfen. Sie werden sich selbst faul nennen und sich für »schlechte« Menschen halten.

Ärger über das Wohlergehen anderer

Ich hatte einen Klienten, dem es Spaß machte, Aufsehen zu erregen, und der normalerweise absichtlich zu spät kam, damit er Unruhe verursachen konnte. Er war das jüngste

von 18 Kindern und stand immer an letzter Stelle, wenn etwas zu haben war. Als Kind sah er jeden anderen als Besitzenden an, während er von seinem Anteil nur träumen konnte. Und auch wenn jetzt jemand Glück hatte, konnte er sich nicht mit ihm freuen. Stattdessen sagte er immer: »Oh, ich wünschte, mir würde das passieren.« Oder: »Oh, warum bekomme ich so etwas nicht?«

Sein Ärger über das Wohlergehen anderer war ein Hemmschuh für seine eigene Entwicklung und Veränderung.

Selbstwert öffnet viele Türen

Eine 79-jährige Klientin kam zu mir. Sie unterrichtete Gesang, und mehrere ihrer Schüler traten in der Fernsehwerbung auf. Sie wollte das auch, aber sie hatte Angst. Ich unterstützte sie mit ganzer Kraft und erklärte ihr: »Es gibt niemanden, der ist wie Sie. Seien Sie einfach Sie selbst.« Ich sagte: »Tun Sie es spaßeshalber. Es gibt Leute, die genau nach dem suchen, was Sie besitzen. Machen Sie sich bei ihnen bemerkbar.«

Sie rief mehrere Agenten, Funk- und Fernsehdirektoren an und sagte: »Ich bin Seniorin, eine ältere Bürgerin, und ich möchte in der Fernsehwerbung auftreten.« In kurzer Zeit hatte sie ein Angebot und seitdem hat sie nicht aufgehört zu arbeiten. Ich sehe sie oft im Fernsehen und in Zeitschriften. Neue berufliche Aufgaben können Sie in jedem Alter angehen, besonders wenn Sie es aus Spaß tun.

Selbstkritik geht völlig am Ziel vorbei

Selbstkritik wird nur das Zögern und die Faulheit verstärken. Vielmehr sollten Sie Ihre geistige Energie dafür verwenden, sich von Altem zu lösen und ein neues Gedankenmuster zu schaffen.

Sagen Sie: »*Ich bin bereit, mich von dem Bedürfnis, wertlos zu sein, zu lösen. Ich bin es wert, das Allerbeste im Leben zu haben, und ich bin von Liebe erfüllt. Ich erlaube mir jetzt, das zu akzeptieren.*

Wenn ich ein paar Tage lang diese Affirmationen laufend wiederhole, werden die äußeren Auswirkungen meines Zögerns von alleine verblassen.

Wenn ich mir innerlich ein gutes Selbstwertgefühl erschaffe, werde ich nicht länger mein Wohlergehen hinauszögern.«

Sehen Sie, wie gut diese Affirmationen zu einigen Ihrer negativen Muster und deren Auswirkungen passen? Hören Sie auf, Zeit und Energie zu verschwenden, sich wegen etwas zu kritisieren, was Sie nicht ändern können, solange Sie bestimmte innere Überzeugungen haben.

Ändern Sie Ihre Überzeugungen.

Wir haben es nur mit Gedanken zu tun, und Gedanken können verändert werden, gleichgültig, wie wir an sie herangehen oder über welches Thema wir sonst sprechen.

Wenn wir einen Zustand verändern wollen, müssen wir es auch sagen. »Ich bin bereit, mich von dem Muster zu lösen, das diesen Zustand geschaffen hat.«

Sie können das jedes Mal sagen, wenn Sie an Ihre Krankheit oder Ihr Problem denken. In dem Augenblick, in dem Sie es sagen, verlassen Sie die Gruppe der Opfer. Sie sind nicht länger hilflos, Sie erkennen Ihre eigene Macht. Sie sagen: »Ich sehe jetzt ein, dass ich das selbst erschaffen habe. Ich hole mir jetzt meine Macht zurück. Ich werde mich von diesem alten Gedanken lösen und ihn hinter mir lassen.«

Selbstkritik

Ich habe eine Klientin, die ein Pfund Butter und alles andere in ihrer Reichweite essen kann, wenn sie ihre eigenen negativen Gedanken nicht mehr ertragen kann. Am nächsten Tag ist sie wütend wegen ihres Übergewichts. Als kleines Mädchen ging sie um den Abendbrottisch ihrer Familie, aß sämtliche Reste auf und dazu ein Stück Butter. Die Familie lachte und fand das lustig. Das war fast die einzige Anerkennung, die sie von ihrer Familie erhielt.

Wenn Sie sich selbst kritisieren, wenn Sie über sich selbst wütend sind, wenn Sie sich selbst »verprügeln«, wen behandeln Sie da schlecht – Ihrer Meinung nach?

Fast unsere gesamte Veranlagung, sowohl das Negative als auch das Positive, wurde von uns akzeptiert, als wir etwa drei Jahre waren. Unsere Erfahrungen basieren seitdem darauf, was wir zu jener Zeit über uns und das Leben glaubten und akzeptierten. So, wie wir als kleine Kinder behandelt wurden, behandeln wir uns oft heute noch. Die Person, die Sie kritisieren, ist das drei Jahre alte Kind in Ihnen.

Wenn Sie ein Mensch sind, der sich darüber ärgert, dass er Angst hat und furchtsam ist, versetzen Sie sich zurück in die Zeit, als Sie drei Jahre alt waren. Was würden Sie tun, wenn Sie ein dreijähriges Kind vor sich hätten, das Angst hat? Würden Sie es beschimpfen oder würden Sie Ihre Arme ausbreiten und es beruhigen, bis es sich beschützt und getröstet fühlt? Die Erwachsenen, die Sie als Kind um sich hatten, wussten vielleicht nicht, wie sie Sie damals beruhigen konnten. Jetzt sind Sie der Erwachsene in Ihrem Leben, und wenn Sie das Kind in Ihrem Leben und das Kind in Ihnen nicht beruhigen, dann ist das wirklich sehr traurig.

Was in der Vergangenheit passierte, ist geschehen und vorbei. Jetzt leben wir in der Gegenwart, und Sie haben die Gelegenheit, sich so zu behandeln, wie es Ihrer Vorstellung entspricht. Ein erschrockenes Kind muss beruhigt und nicht beschimpft werden. Selbstbeschimpfung verängstigt Sie nur noch mehr und verbaut Ihnen jeden Ausweg. Wenn sich das Kind in Ihnen unsicher fühlt, verursacht es viel Ärger. Erinnern Sie sich, wie Sie sich fühlten, wenn man Sie herabgewürdigt hatte, als Sie jung waren? Das Kind in Ihnen empfindet das jetzt genauso.

Seien Sie nett zu sich selbst. Fangen Sie an, sich selbst zu lieben und anzuerkennen. Das ist es, was das kleine Kind braucht, um sein höchstes Potenzial zu entfalten.

In der Unendlichkeit des Lebens, dort, wo ich bin,
ist alles heil und vollkommen.

*

Ich betrachte jeden Widerstand in mir einfach nur als
etwas, von dem ich mich lösen muss.

*

Er hat keine Macht über mich. Ich bin die Macht
in meinem Leben. So gut ich kann,
schwimme ich in dem Strom von Veränderungen,
die in meinem Leben stattfinden.

*

Ich erkenne mich selbst an und die Art,
in der ich mich verändere.

*

Ich tue mein Bestes. Jeder Tag wird einfacher.

*

Ich freue mich darüber, dass ich mich im Rhythmus
und Strom meines sich stetig verändernden
Lebens befinde.

*

Heute ist ein wunderbarer Tag.
Ich entscheide mich, ihn dazu zu machen.

*

Alles ist gut in meiner Welt.

7

Wie man sich verändern kann

*»Ich überquere Brücken
mit Freude und Leichtigkeit.«*

Ich liebe das »Wie...«. Jede Theorie ist nutzlos, solange wir nicht wissen, wie wir sie praktisch anwenden können, um Veränderungen herbeizuführen.

Ich bin immer schon ein sehr pragmatischer Mensch gewesen, mit dem starken Bedürfnis, zu wissen, *wie* vorzugehen ist.

Die Grundsätze, mit denen wir jetzt arbeiten werden, lauten:

- die Bereitschaft entwickeln, Altes hinter uns zu lassen
- das Bewusstsein kontrollieren
- lernen, wie wir Erlösung finden dadurch, dass wir uns selbst und anderen vergeben

Sich vom Bedürfnis lösen

Manchmal, wenn wir versuchen, uns von einem Verhaltensmuster zu lösen, scheint die gesamte Situation für eine Weile schlimmer zu werden. Das ist keine schlechte Sache. Es ist ein Zeichen dafür, dass Bewegung in die Situation kommt.

Unsere Affirmationen beginnen zu wirken, und deshalb sollten wir uns durch diese scheinbaren Rückschläge auf keinen Fall entmutigen lassen.

Beispiele

Wir arbeiten daran, unseren Wohlstand zu vergrößern, und verlieren unsere Brieftasche.

Wir arbeiten daran, unsere Beziehung zu verbessern, und haben einen Streit.

Wir arbeiten daran, gesund zu werden, und erkälten uns.

Wir arbeiten daran, unsere kreativen Begabungen und Fähigkeiten zum Ausdruck zu bringen, und werden gefeuert.

Manchmal bewegt sich das Problem in eine andere als die gewollte Richtung, und wir fangen an, mehr zu sehen und zu begreifen.

Lassen Sie uns das an einem Beispiel verdeutlichen: Sie versuchen, das Rauchen aufzugeben.

Sie sagen: »Ich bin bereit, das ›Bedürfnis‹ nach Zigaretten auszuschalten.« Während Sie mit dieser Affirmation arbeiten, stellen Sie fest, dass Ihre Beziehungen zu manchen Menschen schwieriger werden.

Verzweifeln Sie nicht, denn das ist ein Zeichen dafür, dass die Methode wirklich funktioniert.

Stellen Sie sich eine Reihe von Fragen wie: »Bin ich gewillt, unerfreuliche Beziehungen aufzugeben? Haben meine

Zigaretten einen ›Vorhang‹ geschaffen, hinter dem ich nicht sehen konnte, wie unerfreulich diese Beziehungen sind? Warum schaffe ich mir solche Beziehungen?«

Sie erkennen also, dass die Zigaretten nur ein Symptom und keine Ursache sind. Und das führt zu befreienden Erkenntnissen und Einsichten.

Nun affirmieren Sie: »Ich bin bereit, mich von dem ›Bedürfnis‹ nach unerfreulichen Beziehungen zu lösen.«

Dann erkennen Sie, dass der Grund dafür, dass Sie sich in Gesellschaft unwohl fühlen, darin besteht, dass andere Menschen Sie dauernd zu kritisieren scheinen.

Da wir uns dessen bewusst sind, dass wir unsere gesamten Erfahrungen immer selbst erschaffen, verwenden Sie nun die Affirmation: »Ich bin bereit, mich von dem Bedürfnis zu lösen, kritisiert zu werden.«

Dann denken Sie über Kritik nach und erkennen, dass Sie als Kind ständig kritisiert wurden. Das kleine Kind in Ihnen fühlt sich nur »zu Hause«, wenn es kritisiert wird. Und im unbewussten Versuch, dem zu entgehen, haben Sie sich angewöhnt, sich hinter Tabakschwaden zu verbergen wie hinter einer Nebelwand.

Vielleicht besteht für Sie der nächste Schritt darin, dass Sie erklären: »Ich bin bereit zu vergeben ...«

Während Sie mit Ihren Affirmationen fortfahren, werden Sie schließlich dahin gelangen, dass Sie kein Verlangen nach Zigaretten mehr verspüren und die Menschen in Ihrem Leben Sie nicht mehr kritisieren. Dann *wissen* Sie, dass Sie von dem Bedürfnis befreit sind.

Es dauert normalerweise ein wenig, diese Befreiung zu erreichen. Wenn Sie ausharren und gewillt sind, sich jeden Tag ein paar ruhige Augenblicke zu gönnen, in denen Sie Ihren eigenen Veränderungsprozess überdenken, dann werden Sie die Antworten erhalten.

Die Intelligenz in uns ist dieselbe Intelligenz, die diesen gesamten Planeten geschaffen hat. Vertrauen Sie darauf, dass Ihre Innere Führung Ihnen offenbart, was immer Sie wissen müssen.

Übung: Sich von einem Bedürfnis lösen

Würden Sie an einem Seminar teilnehmen, würde ich Sie bitten, diese Übung mit einem Partner zu machen. Sie können sie jedoch genauso gut mit einem möglichst großen Spiegel durchführen.

Denken Sie einen Moment an etwas in Ihrem Leben, das Sie verändern möchten. Gehen Sie zum Spiegel, schauen Sie sich in die Augen und sagen Sie laut: »Ich bin mir jetzt im Klaren darüber, dass ich diesen Zustand geschaffen habe, und ich bin jetzt gewillt, mich von dem Verhaltensmuster in meinem Bewusstsein zu lösen, das für diesen Zustand verantwortlich ist.« Sagen Sie das mehrmals, mit Gefühl.

Wenn Sie einen Partner hätten, sollte er Ihnen sagen, ob er glaubt, dass Sie es ernst meinen.

Ich würde von Ihnen verlangen, dass Sie Ihren Partner *überzeugen*.

Stellen Sie sich selbst die Frage, ob Sie es ernst meinen. Überzeugen Sie Ihr Spiegelbild, dass Sie dieses Mal tatsächlich bereit sind, aus der Knechtschaft der Vergangenheit herauszutreten.

An diesem Punkt bekommen sehr viele Menschen Angst, weil sie nicht wissen, *wie* sie diese Loslösung bewerkstelligen sollen. Sie haben Angst, sich darauf einzulassen, ehe sie alle Antworten kennen. Aber auch das ist nur Widerstand. Überwinden Sie ihn.

Einer der Vorteile ist nämlich, dass wir nicht wissen müssen, wie. Wir müssen nur bereit sein. Die Intelligenz des Universums oder auch Ihr Unterbewusstsein kennt immer das »Wie«. Jeder Gedanke, den Sie denken, und jedes Wort, das Sie sprechen, wird beantwortet werden. Die Macht zur Veränderung liegt also immer in der Gegenwart. Die Gedanken, die Sie jetzt gerade denken, und die Worte, die Sie sprechen, gestalten Ihre Zukunft.

Ihr Geist ist ein Werkzeug

Sie sind viel mehr als Ihr Geist. Sie denken vielleicht, dass Ihr Geist den Ton angibt. Aber das kommt nur daher, dass Sie Ihren Geist geschult haben, so zu denken. Sie können Ihr Werkzeug aber auch ent-schulen oder umschulen.

Ihr Geist ist ein Werkzeug, das Sie auf jede gewünschte Art einsetzen können. Die Art, wie Sie Ihren Geist gerade benutzen, ist nur Gewohnheitssache. Gewohnheiten, alle Gewohnheiten, können verändert werden. Es genügt, dies zu wollen oder sogar nur zu wissen, dass es möglich ist.

Beruhigen Sie für einen Moment das Geplapper Ihres Geistes und denken Sie ernsthaft über diese Vorstellung nach: *Ihr Geist ist ein Werkzeug. Sie haben die Wahl, dieses auf jede Art, die Ihnen gefällt, zu benutzen.*

Die Gedanken, für die Sie sich »entscheiden«, erzeugen die Erfahrungen, die Sie machen. Wenn Sie glauben, es sei hart oder schwierig, einen Gedanken oder eine Gewohnheit zu verändern, dann wird das für Sie auch so sein. Wenn Sie sich für den Gedanken entscheiden: »Es wird leichter für mich, Veränderungen vorzunehmen«, dann wird dieser Gedanke für Sie Wirklichkeit werden.

Den Geist kontrollieren

Es gibt eine unglaubliche Macht und Intelligenz in Ihnen, die ununterbrochen
auf Ihre Gedanken und Wörter antwortet. Indem Sie lernen, Ihren Geist
durch bewusste Auswahl der Gedanken zu kontrollieren, bringen Sie sich in
Einklang mit dieser Macht.

Denken Sie nicht, Ihr Geist sei der »Kontrolleur«. *Sie* kontrollieren und steuern Ihren Geist. *Sie* benutzen Ihren Geist.
Sie *können* damit aufhören, diese alten, immer gleichen Gedanken zu denken.

Wenn Ihr früheres Denken zurückkommen will und sagt:
»Es ist so schwierig, sich zu verändern«, müssen *Sie* das
Steuer an sich reißen. Sagen Sie dann zu Ihrem Geist: »Ich
entscheide mich jetzt dafür, zu glauben, dass es mir leichter fällt, Veränderungen vorzunehmen.«

Es kann sein, dass Sie diese Zwiesprache mit Ihrem Geist
mehrmals wiederholen müssen, damit er erkennt, dass Sie
die Kontrolle haben und dass das, was Sie sagen, auch wirklich gilt.

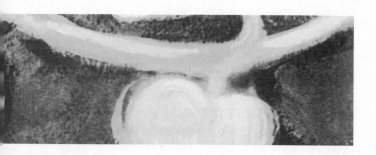

Das Einzige, was Sie immer kontrollieren können, ist Ihr gegenwärtiges Denken

Ihre früheren Gedanken sind passé. Sie können mit ihnen nichts weiter anfangen, als die von ihnen verursachten Erfahrungen auszuleben. Ihre zukünftigen Gedanken sind noch nicht entworfen, und Sie wissen auch nicht, wie sie sein werden. Aber Ihr jetziger Gedanke, der, den Sie in diesem Augenblick denken, unterliegt völlig Ihrer Kontrolle.

Beispiel

Nehmen Sie ein Kind, dem lange Zeit erlaubt war, beliebig lange aufzubleiben. Dann treffen Sie die Entscheidung, dass dieses Kind jeden Abend zum 20 Uhr zu Bett gehen soll. Wie wird Ihrer Meinung der erste Abend aussehen?

Das Kind wird gegen die neue Regel rebellieren und vielleicht um sich treten, schreien und alles Mögliche tun, um nicht ins Bett gehen zu müssen. Wenn Sie *dieses* Mal nachgeben, gewinnt das Kind und wird versuchen, Sie immer wieder zu dominieren.

Wenn Sie aber ruhig an Ihrer Entscheidung festhalten und standhaft dabei bleiben, dass dies die neue Bettzeit ist, wird das Rebellieren nachlassen. Nach zwei oder drei Abenden ist die neue Regelung eingespielt.

Genauso geht es auch Ihrem Geist. Zuerst wird er natürlich rebellieren. Er will nicht umgeschult werden. Aber Sie haben die Kontrolle, und wenn Sie konzentriert und standhaft bleiben, wird die neue Denkart nach sehr kurzer Zeit eingespielt sein. Und Sie werden sich gut dabei fühlen, sich zu vergegenwärtigen, dass *Sie nicht das hilflose Opfer Ihrer eigenen Gedanken sind, sondern Herr Ihres eigenen Geistes.*

Übung: Etwas hinter sich lassen

Atmen Sie tief ein, während Sie das hier lesen. Während Sie ausatmen, entspannen Sie Ihren Körper. Entspannen Sie Ihre Kopf-  haut, Ihre Stirn und Ihr Gesicht. Ihr Kopf muss nicht angespannt sein, damit Sie lesen können. Entspannen Sie Ihre Zunge, Ihren Hals und Ihre Schultern.

Sie können ein Buch mit entspann- ten Armen und Händen halten. Tun Sie das jetzt. Entspannen Sie Ihren Rücken, Ihren Bauch und Ihr Be- cken. Atmen Sie ruhig, während Sie Ihre Beine und Füße entspannen.

Findet eine große Veränderung in Ihrem Körper statt, seit Sie mit dieser Übung begonnen haben? Nehmen Sie wahr, wie viel Anspannung Sie im Körper festgehalten haben. Wenn Sie Ihren Kör- per auf diese Weise steuern können, dann gelingt Ihnen das auch mit Ihrem Geist.

Sagen Sie in dieser entspannten, bequemen Hal- tung zu sich selbst: »Ich bin bereit, etwas hinter mir zu lassen. Ich löse mich von etwas. Ich befreie mich von jeglicher Spannung. Ich befreie mich von jeder Angst. Ich befreie mich von jeglichem Ärger. Ich befreie mich von jeder Schuld. Ich befreie mich von jeglicher Traurigkeit. Ich lasse alle früheren Begrenzungen hinter mir. Ich lasse alles Alte hin- ter mir und bin zufrieden. Ich bin in Frieden mit mir selbst. Ich bin in Frieden mit dem Leben. Ich fühle mich sicher und geborgen.«

Wiederholen Sie diese Übung zwei- oder dreimal. Fühlen Sie, wie wohltuend es ist, loszulassen. Wiederholen Sie sie jedes Mal, wenn belastende Gedanken sich bemerkbar machen. Es braucht ein wenig Übung, sich diese Routine zur festen Gewohnheit zu machen. Wenn Sie sich zuerst in diesen friedlichen Zustand versetzen, werden Ihre Affirmationen viel wirkungsvoller sein, weil Sie dann offen und empfänglich sind. Es gibt keinen Grund für Kampf, Belastung oder Überforderung. Entspannen Sie sich einfach und denken Sie die richtigen Gedanken.

Ja, so einfach ist das.

Körperliche Befreiung

Manchmal müssen wir die Erfahrung machen, körperlich von etwas loszukommen. Erfahrungen und Gefühle können sich im Körper aufstauen und Blockaden verursachen. Wenn wir unsere Wut unterdrückt haben, kann es sehr befreiend sein, im Auto, bei geschlossenen Fenstern etc., laut zu schreien. Eine harmlose Methode, aufgestauten Ärger loszuwerden, ist, aufs Bett einzuschlagen oder in die Kissen zu treten. Dasselbe gilt für Tennisspielen oder Laufen.

Vor einiger Zeit hatte ich ein oder zwei Tage lang Schmerzen in der Schulter. Ich versuchte, sie nicht zu beachten, aber sie ließen nicht nach. Schließlich setzte ich mich hin und fragte mich: »Was geschieht hier? Was fühle ich?«

Ich erkannte: »Es fühlt sich wie Brennen an. Brennen... brennen... das bedeutet Ärger. Worüber ärgerst du dich?«

Ich konnte mir nicht vorstellen, was mich ärgerte, deswegen sagte ich: »Nun gut, wir werden sehen, ob ich es herausfinden kann.« Ich legte zwei große Kissen auf das Bett und fing an, kräftig auf sie einzuschlagen.

Nach etwa zwölf Schlägen wusste ich genau, worüber ich mich ärgerte. Es war so offensichtlich. Deswegen schlug ich noch heftiger auf die Kissen ein, machte ein bisschen Lärm und befreite meinen Körper von diesen Gefühlen. Als ich es hinter mir hatte, fühlte ich mich viel besser, und am nächsten Tag war meine Schulter wieder in Ordnung.

Wenn man sich
von der Vergangenheit bremsen lässt

Viele Menschen kommen zu mir und sagen, sie könnten *das Heute nicht genießen, weil dies oder jenes in der Vergangenheit geschehen sei.* Sie können heute kein erfülltes Leben führen, weil sie in der Vergangenheit etwas nicht getan haben oder es nicht auf eine bestimmte Weise taten. Sie können das Heute nicht genießen, weil sie etwas, was sie in der Vergangenheit besessen haben, nicht mehr besitzen. Sie wären jetzt nicht offen für Liebe, weil sie in der Vergangenheit verletzt wurden. Weil sie einst etwas getan haben, bei dem etwas Unerfreuliches geschah, sind sie sicher, dass dies heute wieder geschehen wird. Sie sind sicher, für immer schlechte Menschen zu sein, weil sie einst etwas taten, was sie heute bereuen. Weil ihnen einst jemand etwas angetan hat, sind nun die anderen schuld daran, dass ihr Leben nicht so ist, wie sie es sich wünschen. Weil sie sich in der Vergangenheit über eine Situation geärgert haben, behalten sie diese Selbstgerechtigkeit bei. Weil sie früher ein paar Mal schlecht behandelt wurden, werden sie niemals vergeben und vergessen.

Weil ich nicht zum Abschlussball des Gymnasiums eingeladen wurde, kann ich das Leben heute nicht genießen.

Weil mein erstes Vorsprechen schlecht lief, werde ich immer Angst vor dem Vorsprechen haben.

Weil ich nicht länger verheiratet bin, kann ich kein erfülltes Leben führen.

Weil meine erste Beziehung zerbrach, kann ich nicht mehr offen für eine neue Liebe sein.

Weil mich früher eine Bemerkung verletzte, werde ich niemandem mehr vertrauen.

Weil ich früher mal etwas gestohlen habe, muss ich mich selbst für immer bestrafen.

Weil ich als Kind sehr arm war, werde ich es nie zu etwas bringen.

Oft wollen wir nicht wahrhaben, dass dieses Festklammern an der Vergangenheit – gleichgültig, was oder wie schrecklich es war – *uns nichts als Schmerzen bringt,* uns, nicht »ihnen«. »Ihnen« ist es meist ziemlich egal. Normalerweise sind »sie« sich dessen gar nicht bewusst. Wir fügen ausschließlich uns selbst Schmerz zu, wenn wir uns weigern, jetzt in diesem Moment so erfüllt wie möglich zu leben.

Die Vergangenheit ist vorbei und kann nicht verändert werden. Jetzt ist der einzige Augenblick, den wir erleben können.

Auch wenn wir über unsere Vergangenheit jammern, erleben wir in diesem Augenblick nur die Erinnerung und hindern uns daran, den gegenwärtigen Augenblick voll zu erfahren.

Übung: Sich befreien

Wir wollen jetzt die Vergangenheit in unserem Gedächtnis wegräumen. Befreien Sie sich von Ihrer emotionalen Gebundenheit. Lassen Sie die Erinnerungen einfach Erinnerungen sein.

Wenn Sie daran denken, welche Kleidung Sie im dritten Schuljahr trugen, dann empfinden Sie normalerweise keine emotionale Gebundenheit. Es ist einfach nur eine Erinnerung.

Genauso können wir mit allen vergangenen Ereignissen in unserem Leben umgehen. Wenn wir sie hinter uns lassen, werden wir frei, all unsere geistige Macht zu nutzen, das Jetzt zu genießen und eine großartige Zukunft zu erschaffen.

Sie sollten alles auflisten, was Sie loswerden möchten. Wie bereit sind Sie dazu? Beobachten Sie Ihre Reaktionen. Was werden Sie tun müssen, um all das loszuwerden? Wie stark ist Ihr Wille, es zu tun? Wie stark ist Ihr Widerstand?

Vergebung

Nächster Schritt: *Vergebung*. Es befreit uns von der Vergangenheit, wenn wir anderen vergeben. Im *Kurs in Wundern* wird immer wieder betont, dass Vergebung die Antwort auf fast alles ist. Wenn wir uns stur verhalten, bedeutet das, dass wir normalerweise noch mehr Vergebung leisten müssen.

Wenn wir nicht völlig frei im gegenwärtigen Lebensstrom schwimmen, bedeutet es normalerweise, dass wir an Vergangenem festhalten. Es kann Bedauern, Traurigkeit, Verletztsein, Angst oder Schuld, Vorwurf, Ärger, Verdruss und manchmal sogar auch das Verlangen nach Rache sein.

Jeder dieser Zustände stammt aus dem Bereich des Nichtvergebens und ist eine Weigerung, etwas hinter sich zu lassen und sich ins Jetzt zu bewegen.

Liebe ist immer schon das Heilmittel für alle möglichen Krankheiten gewesen.

Und der Weg zur Liebe ist die Vergebung. Vergebung befreit von Verbitterung. Es gibt mehrere Wege dorthin.

Übung: Verbitterung abbauen

Eine bewährte Übung von Emmet Fox, die immer funktioniert, zeigt, wie man Verbitterung abbauen kann. Er empfiehlt, ruhig zu sitzen, die Augen zu schließen und den Körper zu entspannen. Dann stellen Sie sich vor, Sie säßen in einem verdunkelten Theater. Vor Ihnen befindet sich die kleine Bühne. Auf diese Bühne setzen Sie die Person, gegenüber der Sie den ärgsten Groll empfinden. Diese Person kann aus der Vergangenheit oder aus der Gegenwart sein. Sie kann tot oder am Leben sein. Wenn Sie diese Person deutlich sehen, stellen Sie sich bildlich vor, dass ihr Gutes widerfährt. Dinge, die ihr viel bedeuten. Sehen Sie sie lächelnd und glücklich. Halten Sie dieses Bild für ein paar Minuten fest, dann lassen Sie es verblassen. Ich möchte einen weiteren Schritt hinzufügen. Nachdem die Person die Bühne verlassen hat, setzen Sie sich selbst dorthin. Schauen Sie, was Ihnen Gutes widerfährt. Sehen Sie sich lächelnd und glücklich. Seien Sie sich bewusst, dass der Überfluss des Universums für uns alle frei zugänglich ist.

Die oben beschriebene Übung löst die dunklen Wolken der Verbitterung, die wir fast alle mit uns herumtragen. Einigen wird das schwerfallen. Sie können jedes Mal, wenn Sie die

Übung machen, eine andere Person nehmen. Machen Sie die Übung einen Monat lang einmal täglich. Sie werden feststellen, dass Sie sich immer unbeschwerter fühlen.

Übung: Rache

Diejenigen, die sich auf dem spirituellen Pfad befinden, wissen, wie wichtig die Vergebung ist. Es gibt für einige von uns einen notwendigen Schritt vor einer möglichen völligen Vergebung. Manchmal muss sich das kleine Kind in uns rächen, bevor es zur Vergebung bereit ist. Dafür ist diese Übung sehr hilfreich. Schließen Sie Ihre Augen, sitzen Sie ruhig und friedlich. Denken Sie an die Person, der Sie am wenigsten vergeben können. Was würden Sie ihr wirklich antun wollen? Was muss sie tun, um von Ihnen Vergebung zu erlangen? Stellen Sie sich vor, das geschähe jetzt. Gehen Sie ins Detail. Wie lange soll sie leiden und Buße tun?

Wenn Sie meinen, es sei genug, ziehen Sie einen Schlussstrich, und lassen Sie es für immer vorbei sein. Normalerweise fühlt man sich an diesem Punkt erleichtert, und es fällt leichter, über Vergebung nachzudenken. Es wäre nicht gut für Sie, diese Übung jeden Tag zu praktizieren und womöglich gar darin zu schwelgen. Aber es kann befreiend sein, sie einmalig als Abschlussübung durchzuführen.

Übung: Vergebung

Jetzt sind wir zur Vergebung bereit. Machen Sie diese Übung entweder mit einem Partner oder sagen Sie die Sätze laut vor sich hin, wenn Sie allein sind.

Sitzen Sie wiederum ruhig mit geschlossenen Augen und sagen Sie: »Die Person, der ich vergeben muss, heißt _____
und ich vergebe ihr _____.«

Wiederholen Sie das immer wieder. Einigen werden Sie vieles zu vergeben haben, anderen nur zwei oder drei Dinge. Wenn Sie mit einem Partner üben, soll er zu Ihnen sagen: »Danke, du bist jetzt frei.« Wenn nicht, stellen Sie sich vor, dass die Person, der Sie vergeben, das zu Ihnen sagt. Machen Sie diese Übung mindestens fünf oder zehn Minuten lang. Suchen Sie in Ihrem Inneren nach Ungerechtigkeiten, die Sie noch in sich tragen. Dann lassen Sie von ihnen ab.

Nachdem Sie jetzt so viel wie möglich geklärt haben, richten Sie die Aufmerksamkeit auf sich. Sagen Sie laut zu sich: »Ich vergebe mir selbst, dass ich _____.«
Tun Sie das weitere fünf Minuten.

Das sind wirkungsvolle Übungen, und es wäre gut, sie mindestens einmal in der Woche zu machen, um jeden noch vorhandenen innerlichen Müll loszuwerden. Von manchen Erfahrungen trennt man sich leicht, andere müssen wir jedoch scheibchenweise abtrennen, bis sie uns eines Tages plötzlich freigeben und sich auflösen.

Übung: Visualisierung

Noch eine gute Übung. Bitten Sie entweder jemanden, Ihnen das vorzulesen, oder sprechen Sie es auf Tonband und hören Sie zu.

Fangen Sie damit an, dass Sie sich selbst als kleines Kind im Alter von fünf oder sechs Jahren vor sich sehen. Schauen Sie tief in die Augen dieses kleinen Kindes. Erkennen Sie die Sehnsucht, die in diesen Augen liegt, und vergegenwärtigen Sie sich, dass es nur eins gibt, was dieses kleine Kind von Ihnen möchte: Liebe. Strecken Sie deshalb Ihre Arme aus und umarmen Sie dieses Kind. Halten Sie es liebevoll und zärtlich. Sagen Sie ihm, wie sehr Sie es lieben, wie wichtig es Ihnen ist. Bewundern Sie alles an diesem Kind und sagen Sie ihm, dass es in Ordnung ist, beim Lernen Fehler zu machen. Versprechen Sie, zu jeder Zeit da zu sein, gleichgültig, was geschieht. Jetzt lassen Sie dieses kleine Kind sehr klein werden, bis es so klein ist, dass es in Ihr Herz passt. Tun Sie es da hinein, damit Sie jederzeit dieses kleine Gesicht, das zu Ihnen aufschaut, sehen und dem kleinen Kind viel Liebe schenken können.

Jetzt stellen Sie sich Ihre Mutter als kleines Mädchen von vier oder fünf Jahren bildlich vor, verängstigt und nach Liebe suchend, ohne zu wissen, wo sie sie finden kann. Strecken Sie Ihre Arme aus, halten Sie dieses kleine Mädchen und geben Sie ihm zu verstehen, wie sehr Sie es lieben, wie wichtig es Ihnen ist. Geben Sie ihm zu verstehen, dass es sich darauf verlassen kann, Sie immer in seiner Nähe zu haben, egal, was geschieht. Wenn sich das kleine Mädchen beruhigt hat und sich sicher fühlt, lassen Sie es sehr klein werden, bis es in Ihr Herz passt. Tun Sie es zusammen mit dem kleinen Kind, das Sie selbst waren, hinein. Diese beiden sollen sich viel Liebe schenken.

Jetzt stellen Sie sich Ihren Vater als kleinen Jungen im Alter von drei oder vier Jahren vor, verängstigt, weinend und nach Liebe suchend. Sie sehen die Tränen sein kleines Gesicht hinunterkullern, weil er nicht weiß, wohin er sich wenden soll. Sie verstehen es inzwischen, verängstigte kleine Kinder zu beruhigen. Strecken Sie deshalb Ihre Arme aus und halten Sie diesen zitternden kleinen Jungen fest. Trösten Sie ihn. Singen Sie ihm ein Lied. Lassen Sie ihn fühlen, wie sehr Sie ihn lieben. Lassen Sie ihn fühlen, dass Sie immer für ihn da sein werden.

Wenn seine Tränen getrocknet sind und Sie Liebe und Frieden in diesem kleinen Körper fühlen, lassen Sie ihn sehr klein werden, so klein, dass auch er in Ihr Herz passt. Tun Sie ihn dahin, damit diese drei kleinen Kinder sich gegenseitig viel Liebe schenken und Sie sie alle lieben können.

Es gibt so viel Liebe in Ihrem Herzen, dass Sie den gesamten Planeten damit heilen könnten. Aber lassen Sie uns jetzt diese Liebe nur für Ihre Heilung verwenden. Spüren Sie eine Wärme, die anfängt, mitten in Ihrem Herzen zu glühen, eine Milde, eine Sanftheit. Dieses Gefühl sollte die Art und Weise, in der Sie über sich denken und sprechen, verändern.

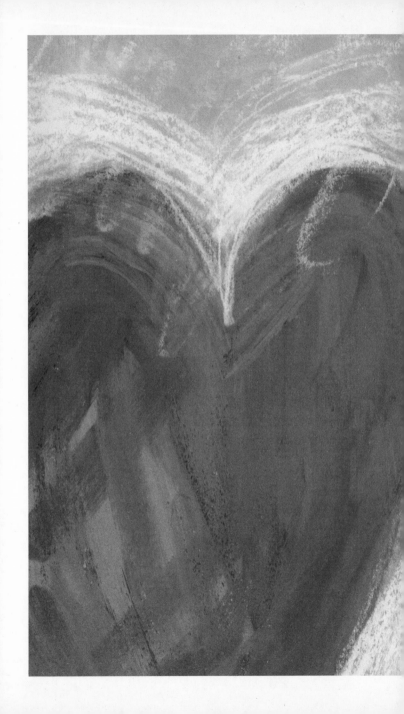

In der Unendlichkeit des Lebens, dort, wo ich bin,
ist alles heil und vollkommen.

✻

Veränderung ist das Naturgesetz
meines Lebens.

✻

Ich heiße Veränderungen willkommen.
Ich bin bereit, mich zu verändern.

✻

Ich entschließe mich,
mein Denken zu verändern.

✻

Ich entschließe mich,
meine Wortwahl zu ändern.

✻

Ich bewege mich mit Leichtigkeit und Freude
vom Alten zum Neuen.

✻

Es fällt mir leichter zu vergeben,
als ich dachte.

✻

Vergeben macht mich frei und leicht.

✻

Je mehr Verbitterung ich in mir abbaue,
desto mehr Liebe bringe ich zum Ausdruck.

✻

Das Verändern meiner Gedanken
bringt mir Zufriedenheit.

✻

Ich lerne jetzt, das Heute zu
einer vergnüglichen Erfahrung zu machen.

8

Das Neue aufbauen

»*Die Antworten aus meinem Inneren gelangen mit Leichtigkeit in mein Bewusstsein.*«

– Ich möchte nicht dick sein.
– Ich möchte nicht ohne Geld sein.
– Ich möchte nicht alt sein.
– Ich möchte nicht hier leben.
– Ich möchte diese Beziehung nicht haben.
– Ich möchte nicht wie meine Mutter/mein Vater sein.
– Ich möchte nicht auf dieser Arbeitsstelle festsitzen.
– Ich möchte nicht diese Haare/diese Nase/diesen Körper
  haben.
– Ich möchte nicht einsam sein.
– Ich möchte nicht unglücklich sein.
– Ich möchte nicht krank sein.

Es wächst das,
worauf Sie Ihre Aufmerksamkeit richten

Die Aussagen zeigen, wie wir kulturbedingt dazu erzogen wurden, das Negative geistig zu bekämpfen. Wir denken, das Positive stellt sich automatisch ein, wenn wir so vorgehen. Aber so funktioniert es nicht.

Wie oft haben Sie darüber geklagt, was Sie alles nicht wollten? Brachte es Ihnen jemals das, was Sie wirklich wollten? Es ist reine Zeitverschwendung, gegen das Negative anzukämpfen, wenn Sie Ihr Leben wirklich verändern wollen. *Je länger Sie sich damit beschäftigen, was Sie nicht wollen, desto mehr davon rufen Sie herbei. Das, was Ihnen immer an Ihnen und an Ihrem Leben missfallen hat, ist wahrscheinlich immer noch vorhanden.*

Das, worauf Sie Ihre Aufmerksamkeit richten, wächst und wird zum dauerhaften Bestandteil Ihres Lebens. Rücken Sie vom Negativen ab und richten Sie Ihre Aufmerksamkeit auf das, was Sie wirklich sein oder haben wollen. Lassen Sie uns die oben genannten negativen Erklärungen in positive umkehren:

- Ich bin schlank.
- Ich bin wohlhabend.
- Ich bleibe ewig jung.
- Ich ziehe jetzt an einen besseren Ort um.
- Ich habe eine wunderbare neue Beziehung.
- Ich bin eine eigenständige Persönlichkeit.
- Ich liebe meine Haare/meine Nase/meinen Körper.
- Ich bin voller Liebe und Zuneigung.
- Ich bin fröhlich, glücklich und frei.
- Ich bin völlig gesund.

Affirmationen

Lernen Sie in Affirmationen zu denken. Zu Affirmationen gehört jede Art von Äußerungen, die Sie machen. Wir denken zu oft negativ. Negatives Denken schafft nur mehr von dem, was Sie nicht haben wollen. Zu sagen: »Ich hasse meine Arbeit«, hilft Ihnen nicht weiter. Die Affirmation »Ich trete jetzt eine tolle, neue Arbeitsstelle an« wird Kanäle in Ihrem Bewusstsein öffnen, die genau das ermöglichen.

Stellen Sie ständig in positiver Form fest, wie Sie sich Ihr Leben vorstellen. Es gibt jedoch einen Punkt, der dabei sehr wichtig ist: *Formulieren Sie Ihre Affirmationen immer in der Gegenwartsform.* Zum Beispiel: »Ich bin« oder »Ich habe«. Ihr Unterbewusstsein ist ein derartig gehorsamer Diener, dass Ihre Affirmation »Ich werde« oder »Ich werde haben« bewirken wird, dass das Gewünschte außerhalb Ihrer Reichweite bleibt – eben in der Zukunft!

Selbstliebe entwickeln

Wie ich bereits gesagt habe, ist das Hauptanliegen, an dem wir arbeiten, *die Selbstliebe.* Sie ist der Zauberstab, der die Probleme löst. Erinnern Sie sich an die Zeiten, als Sie sich wohlfühlten und wie befriedigend damals Ihr Leben verlief?

Erinnern Sie sich an die Zeiten, als Sie verliebt waren und in diesen Phasen keine Probleme zu haben glaubten?

Nun, die Selbstliebe wird Ihnen eine solche Flut von Zufriedenheit und Glück bringen, dass Sie wie auf einer Wolke schweben werden. *Selbstliebe vermittelt Ihnen positive Gefühle.*

Wirkliche Selbstliebe ist unmöglich, wenn Sie sich nicht anerkennen und akzeptieren. Das bedeutet, in keinem Fall Selbstkritik zu üben. Ich höre schon Ihre Einwände:

- »Aber ich habe mich immer kritisiert.«
- »Wie kann ich diese Eigenschaft an mir mögen?«
- »Meine Eltern/Lehrer/Liebhaber haben mich immer kritisiert.«
- »Woher wird meine Motivation kommen?«
- »Es ist aber in meinen Augen falsch, das zu tun.«
- »Wie kann ich mich ändern, wenn ich nicht selbstkritisch bin?«

Das Bewusstsein trainieren

Selbstkritik wie die oben genannte bedeutet nur, dass das Bewusstsein das alte Geplapper fortsetzt. Erkennen Sie nun, wie Sie Ihr Bewusstsein darauf trainiert haben, sich zu beschimpfen und Veränderungen gegenüber Widerstand zu leisten? Ignorieren Sie solche Gedanken und fahren Sie mit der wichtigen Arbeit an sich selbst fort!

Lassen Sie uns eine Übung wiederholen, die Sie bereits kennen. Schauen Sie in den Spiegel und sagen Sie: »Ich liebe mich und akzeptiere mich so, wie ich bin.«

Wie empfinden Sie das jetzt? Fällt es Ihnen leichter, nachdem Sie Vergebung praktiziert haben? Das ist immer noch das Hauptanliegen. Sich selbst wertzuschätzen und zu akzeptieren ist der Schlüssel zu positiven Veränderungen.

In jener Zeit, als meine eigene Selbstverleugnung so beherrschend war, habe ich mich gelegentlich selbst geohrfeigt. Ich wusste nicht, was es bedeutet, sich selbst wertzuschätzen. Niemand hätte mich vom Gegenteil überzeugen können, denn mein Glaube an meine Mängel und Grenzen war stärker. Wenn mir gesagt wurde, ich sei liebenswert, war meine spontane Reaktion: »Warum? Was in aller Welt könnte irgendjemand an mir finden?« Oder der klassische Gedanke: »Wenn sie wüssten, wie ich wirklich bin, dann würden sie mich nicht lieben.«

Ich war mir nicht im Klaren darüber, dass alles Gute damit beginnt, das zu akzeptieren, was in einem steckt, und das eigene Selbst zu lieben. Es dauerte ziemlich lange, bis ich eine harmonische, liebevolle Beziehung zu meinem Ich entwickelte.

Ich begann damit, jene kleinen Dinge wertzuschätzen, die ich für meine »guten und akzeptablen« Eigenschaften hielt. Schon das half und bewirkte, dass sich meine Gesundheit besserte. Selbstliebe ist eine wichtige Voraussetzung für eine gute Gesundheit. Das trifft auch auf Wohlstand, Liebe und kreative Ausdrucksfähigkeit zu. Später lernte ich vollständige Selbstliebe und Wertschätzung, sogar meiner – wie ich meinte – weniger guten Eigenschaften. Und von da an machte ich große Fortschritte.

Übung: Ich erkenne mich selbst an

Ich habe mit Hunderten von Menschen diese Übung gemacht, und die Ergebnisse sind erstaunlich. Sagen Sie im kommenden Monat immer wieder zu sich selbst: »*Ich erkenne mich selbst an.*« Machen Sie das mindestens drei- oder vierhundertmal am Tag. Nein, das ist nicht zu oft. Wenn Sie sich Sorgen machen, wälzen Sie Ihre Probleme mindestens genauso oft. Lassen Sie »Ich erkenne mich selbst an« ein immer wiederkehrendes Mantra werden, etwas, was Sie fast ununterbrochen zu sich sagen.

Wenn Sie sagen: »Ich erkenne mich selbst an«, bringt das garantiert alles zum Vorschein, was sich tief in Ihrem Bewusstsein dagegen auflehnt. Wenn negative Gedanken aufkommen, beispielsweise: »Wie kann ich mich selbst anerkennen,

wenn ich so dick bin?,« oder: »Es ist dumm zu glauben, das würde mir irgendwie nützen«, oder: »Ich habe nichts Gutes an mir«, oder was immer Ihr negatives Geplapper sein mag, dann ist *dies* der Zeitpunkt, das Bewusstsein zu kontrollieren.

Messen Sie dem keine Bedeutung bei. Betrachten Sie einfach den Gedanken als das, was er ist: eine weitere Möglichkeit, Sie in der Vergangenheit festzuhalten. Sagen Sie freundlich zu dem Gedanken: »Ich löse mich von dir, denn jetzt erkenne ich mich an.« Allein die Erwägung, diese Übung zu machen, kann eine Menge zum Vorschein bringen, wie: »Es ist dumm.« »Es ist nicht wahr.« »Es ist eine Lüge.« »Es klingt überheblich.« Oder: »Wie kann ich mich selbst anerkennen, wenn ich das tue?«

Lassen Sie das einfach an sich vorüberziehen. Es sind nur Widerstandsgedanken. Sie haben keine Macht über Sie, außer Sie entscheiden sich dafür, daran zu glauben.

»Ich erkenne mich an, ich erkenne mich an, ich erkenne *mich selbst an*.« Gleichgültig, was geschieht; gleichgültig, was andere zu Ihnen sagen; gleichgültig, wer sich wie Ihnen gegenüber verhält, bleiben Sie dabei. Wenn Sie das tatsächlich zu sich selbst sagen, obwohl jemand etwas tut, was Sie nicht gutheißen können, dann werden Sie erkennen, dass Sie sich tatsächlich weiterentwickeln und positiv verändern.

Gedanken haben keine Macht über uns, außer wir geben Ihnen nach. Gedanken sind nur aneinandergereihte Wörter. Sie haben *überhaupt keine Bedeutung.* Nur *wir* geben ihnen eine Bedeutung. *Wir* können uns dafür entscheiden, Gedanken zu denken, die uns kräftigen und unterstützen.

Teil der Selbstakzeptanz ist es, sich von der Meinung anderer freizumachen. Wenn ich mit Ihnen zusammen wäre und Ihnen andauernd erzählte: »Sie sind ein violettes Schwein, Sie sind ein violettes Schwein«, würden Sie mich entweder auslachen, sich belästigt fühlen oder denken, ich sei verrückt. Es wäre höchst unwahrscheinlich, dass Sie glaubten, ich hätte recht. Vieles von dem jedoch, was wir über uns glauben, ist genauso abwegig und unwahr. Wenn Sie Ihr Selbstwertgefühl vom Erscheinungsbild Ihres Körpers abhängig machen, ist das Ihre Art zu glauben: »Ich bin ein violettes Schwein.«

Oft betrachten wir gerade das an uns als »falsch«, Das in Wahrheit Ausdruck unserer eigenen Individualität ist. Es ist unsere Einzigartigkeit und das Besondere an uns. Natur wiederholt sich niemals. Seit es Leben auf diesem Planeten gibt, hat es niemals zwei identische Schneeflocken oder Regentropfen gegeben. Und jedes Gänseblümchen unterscheidet sich von jedem anderen Gänseblümchen. Unsere Fingerabdrücke unterscheiden sich und wir unterscheiden uns voneinander. *Und genau so soll es sein. Wenn wir das akzeptieren, dann gibt es keine Konkurrenz und keinen Vergleich.* Wenn wir versuchen, so zu sein wie die anderen, verkümmert dabei unsere Seele. Wir sind auf diesen Planeten gekommen, um unser individuelles Sein zum Ausdruck zu bringen.

Ich wusste gar nicht wirklich, wer ich bin, bis ich lernte, mich so zu lieben, wie ich jetzt in diesem Augenblick bin.

Setzen Sie Ihre neue Bewusstheit in die Tat um

Denken Sie Gedanken, die Sie glücklich machen. Tun Sie Dinge, bei denen Sie sich wohlfühlen. Verbringen Sie Ihre Zeit mit Menschen, deren Gesellschaft wohltuend ist. Essen Sie das, was Ihrem Körper gut bekommt. Wählen Sie einen Lebensrhythmus, bei dem Sie sich wohlfühlen.

Das Pflanzen von Samenkörnern

Denken Sie einen Moment lang an eine Tomatenpflanze. Eine gesunde Pflanze kann über hundert Tomaten tragen. Wir müssen mit einem kleinen getrockneten Samenkorn anfangen, um diese Pflanze mit all ihren Tomaten zu bekommen. Dieses Samenkorn sieht nicht wie eine Tomatenpflanze aus. Es schmeckt nicht wie eine Tomate. Sie würden nicht einmal glauben, dass es ein Toma-

tengewächs wird, wenn Sie es nicht bestimmt wüssten. Aber nun stellen Sie sich vor, Sie pflanzen dieses Samenkorn in fruchtbare Erde, bewässern es und lassen es von der Sonne bescheinen.

Wenn der erste winzige Trieb erscheint, treten Sie ja auch nicht drauf und sagen: »Das ist keine Tomatenpflanze.« Sie schauen ihn vielmehr an und sagen: »Oh, toll! Sie wächst.« Und mit Freude beobachten Sie ihr Wachsen. Wenn Sie die Pflanze weiterhin gießen, sie viel Sonne bekommt und Sie das Unkraut jäten, bekommen Sie vielleicht eine Tomatenpflanze mit mehr als hundert köstlichen Tomaten. Das alles hat mit diesem winzigen Samenkorn angefangen.

Dasselbe gilt für das Schaffen eigener, neuer Erfahrungen. Die Erde, in die Sie einsäen, ist Ihr Unterbewusstsein. Das Samenkorn ist die neue Affirmation. *Alle Ihre neuen Erfahrungen stecken in diesem winzigen Samenkorn.* Sie wässern es mit Affirmationen. Sie lassen es vom Sonnenschein positiver Gedanken bescheinen. Sie jäten das Unkraut im Garten, indem Sie die aufkommenden negativen Gedanken entfernen.

Und wenn Sie die ersten zarten Veränderungen bemerken, werden Sie nicht darauf treten und sagen: »Das genügt mir nicht!« Stattdessen betrachten Sie diesen ersten Durchbruch und sagen fröhlich: »Wie toll! Es wird. Es funktioniert!« Dann beobachten Sie, wie das neue Pflänzchen heranwächst und zur Manifestation Ihres Wunsches wird.

Übung: Erschaffen Sie positive Veränderungen

Jetzt nehmen Sie sich Ihre Liste vor, auf der Sie Ihre Fehler notiert haben, und kehren sie in positive Affirmationen um. Oder Sie listen alle Veränderungen auf, die Sie anstreben.

Dann wählen Sie drei Dinge aus dieser Liste und formulieren Sie zu positiven Affirmationen um. Nehmen wir an, Ihre Negativliste sah ungefähr so aus:

- Mein Leben ist ein einziges Durcheinander.
- Ich sollte abnehmen.
- Niemand liebt mich.
- Ich möchte umziehen.
- Ich hasse meine Arbeitsstelle.
- Ich brauche mehr Ordnung in meinem Leben.
- Ich leiste nicht genug.
- Ich bin nicht gut genug.

Sie können Sie ungefähr so umkehren:

– Ich bin gewillt, mich von dem Verhalten, das diesen Zustand geschaffen hat, zu lösen.
– Ich befinde mich im Prozess positiver Veränderungen.
– Ich habe einen gesunden, schlanken Körper.
– Ich erfahre überall, wohin ich komme, Liebe.
– Ich habe den vollkommenen Lebensraum.
– Ich verschaffe mir jetzt eine tolle neue Arbeitsstelle.
– Ich habe jetzt alles sehr gut geregelt.
– Ich schätze all mein Tun.
– Ich liebe mich und erkenne mich selbst an.
– Ich vertraue darauf, dass mein Leben mir ein Höchstmaß an Gutem bieten wird.
– Ich verdiene das Beste und nehme es jetzt auch an.

Aus dieser Gruppe von Affirmationen werden alle Veränderungen entstehen, die Sie aufgelistet haben. Selbstliebe und die Anerkennung Ihrer selbst, das Schaffen einer Umgebung mit Sicherheit, Vertrauen, Wertschätzung durch andere sowie die Fähigkeit, das alles anzunehmen, werden es Ihrem Körper ermöglichen, sein Gewicht zu normalisieren. Das alles wird zu einem geordneten Zustand Ihres Bewusstseins führen, liebevolle Beziehungen in Ihrem Leben ermöglichen,

Sie eine neue Arbeitsstelle und einen neuen Wohnort finden lassen. Der Wachstumsprozess einer Tomatenpflanze ist wunderbar. Es ist wunderbar, wie wir auf diese Weise unsere Wünsche manifestieren können!

Das Gute verdienen

Glauben Sie, dass Sie verdienen, was Sie sich wünschen? Wenn nicht, werden Sie sich selbst nicht gestatten, es zu besitzen. Frustrierende Umstände werden sich der Erfüllung Ihrer Wünsche in den Weg stellen.

Übung: Ich verdiene ...

Schauen Sie wieder in den Spiegel und sagen Sie zu sich: »Ich verdiene es, _____ zu haben/zu sein und akzeptiere es jetzt.« Sagen Sie das zwei- oder dreimal.

Wie fühlen Sie sich? Achten Sie immer auf Ihre Gefühle und darauf, was in Ihrem Körper vorgeht. Empfinden Sie es als richtig oder fühlen Sie sich noch immer unwürdig?

Wenn Sie irgendwelche negativen Gefühle in Ihrem Körper spüren, bestärken Sie sich mit der Affirmation: »Ich löse mich von dem Muster in meinem Bewusstsein, das den Widerstand gegen mein Wohlergehen hervorruft.« »Ich verdiene es, _____.«

Wiederholen Sie das, bis Sie das Gefühl des Akzeptierens bekommen – auch wenn es mehrere Tage dauert.

Holistische Philosophie

In unserem Bemühen, das Neue zu schaffen, wollen wir einen holistischen Weg beschreiten. Die holistische, also ganzheitliche Philosophie will das gesamte Wesen fördern und hegen – Körper, Geist und Seele. Wenn wir einen dieser Bereiche auslassen, sind wir unvollständig, es mangelt an Vollkommenheit. Es spielt keine Rolle, wo wir beginnen, solange wir auch die anderen Bereiche einschließen.

Wenn wir mit dem *Körper* beginnen, ist es vermutlich sinnvoll, sich zunächst mit der Ernährung zu befassen und herauszufinden, wie sich unsere Auswahl an Lebensmitteln und Getränken auf unser Wohlbefinden auswirkt. Wir sollten die bestmögliche Auswahl für unseren Körper treffen. Es gibt Kräuter und Vitamine, Homöopathie und Bachblüten. Auch das Thema Darmreinigung könnte von Bedeutung sein.

Wir sollten eine Sportart finden, die uns gefällt. Sport ist etwas, was unsere Knochen stärkt und unseren Körper jung erhält. Außer Sport und Schwimmen könnten Sie Tanz, Tai-Chi, Kampfsport und Yoga erwägen. Ich liebe mein Trampolin und benutze es täglich. Mein Schrägbrett intensiviert meine Entspannungsphasen.

Wir könnten einige Formen der Körperarbeit erforschen, wie zum Beispiel Rolfing, Heller-Work oder Trager. Massage, Fußreflexzonenmassage, Akupunktur oder Chiropraktik können ebenfalls wohltuend sein. Außerdem gibt es die Alexander-Technik, Bioenergetik, Feldenkrais, Kinesiologie und Heilende Berührung sowie Reiki.

Für unseren Geist können wir mit Visualisierungstechniken, gezielten bildhaften Vorstellungen und Affirmationen experimentieren. Es gibt eine Menge psychologische Techniken: Gestalttherapie, Hypnose, Rebirthing, Psychodrama, Rückführung in frühere Leben, Maltherapie sowie Traumarbeit.

Meditation ist in jeder Form eine wunderbare Art, das Bewusstsein zu beruhigen, was Ihnen Zugang zu Ihrer inneren Weisheit ermöglicht. Ich setze mich für gewöhnlich einfach mit geschlossenen Augen hin und sage: »Welches Wissen benötige ich jetzt gerade?« Dann warte ich ruhig

auf die Antwort. Wenn die Antwort kommt, ist es gut, wenn nicht, ist es auch gut, dann kommt sie eben an einem anderen Tag.

Es gibt *Gruppen*, die Seminare aller Art abhalten, wie zum Beispiel: Insight, Family Support – Training für Liebevolle Beziehung, Ken-Keyes-Gruppen und vieles mehr. Viele dieser Gruppen bieten Wochenendseminare an. Diese Wochenenden geben Ihnen die Möglichkeit, Ihr Leben aus einem neuen Blickwinkel zu betrachten. Genau wie meine Seminare. Kein einziges Seminar wird *alle* Ihre Probleme für immer lösen können. Sie können Ihnen aber dabei helfen, Ihr Leben zu verändern.

Für die Seele und unsere Spiritualität gibt es Gebet, Meditation und die Herstellung einer Verbindung zu Ihrem höheren Selbst. In meinen Augen sind Vergebung und bedingungslose Liebe spirituelle Praktiken.

Es gibt viele spirituelle Gruppen. Außer den christlichen Kirchen gibt es metaphysische Kirchen wie Religiöse Wissenschaft und die Unitarier. Es gibt die Gemeinschaft der Selbstverwirklichung (Self-Realization Fellowship), MSIA, Transzendentale Meditation, Siddha-Yoga und dergleichen mehr.

Ich möchte, dass Sie erkennen, dass es viele, viele Methoden gibt, die Sie ausprobieren können. Wenn eine dieser Methoden bei Ihnen nicht funktioniert, versuchen Sie eine andere. Diese Vorschläge sind erwiesenermaßen hilfreich. Ich kann nicht sagen, welche Richtung Ihnen gefallen wird. Das müssen Sie selbst herausfinden. Keine Methode, keine Person, keine Gruppe hat für jeden alle Antworten parat. Ich habe auch nicht für jeden eine Antwort. Ich biete Ihnen nur einen von vielen Trittsteinen auf dem Weg zu ganzheitlicher Gesundheit.

In der Unendlichkeit des Lebens, dort, wo ich bin,
ist alles heil und vollkommen.

✳

Mein Leben ist immer wieder neu.

✳

Jeder Augenblick meines Lebens ist neu, frisch und
wesentlich. Ich benutze mein bejahendes Denken,
um mittels Affirmationen
genau das zu erschaffen, was ich möchte.

✳

Dies ist ein neuer Tag. Ich bin ein neues Ich.
Ich denke anders. Ich spreche anders.
Ich handle anders.
Andere behandeln mich anders.

✳

Meine neue Welt ist ein Abbild meines neuen
Denkens. Es ist eine Freude und eine Lust,
neue Samen zu pflanzen, denn ich weiß, dass aus diesen
Samen meine neuen Erfahrungen sprießen werden.
Alles ist gut in meiner Welt.

9

Die tägliche Arbeit

*»Es ist mir ein Vergnügen,
meine neuen geistigen Fähigkeiten anzuwenden.«*

Wenn ein Kind schon nach dem ersten Sturz aufgäbe, könnte es niemals laufen lernen

Nur durch Praxis wird neu erworbenes Wissen zu einem Bestandteil Ihres Lebens. Anfangs benötigt man viel Konzentration, und manche von uns entscheiden sich dafür, dass zu »harter Arbeit« zu machen. Ich finde aber nicht, dass es harte Arbeit sein muss, sondern dass es einfach darum geht, etwas Neues zu lernen.

Der Lernprozess bleibt immer der gleiche, ungeachtet der Aufgabe – ob Sie Autofahren lernen, Schreibmaschineschreiben, Tennisspielen oder positives Denken. Anfangs tun wir uns etwas schwer, während unser Unterbewusstsein durch Ausprobieren lernt. Doch wenn wir bei unserer Übungspra-

xis bleiben, fällt es uns immer leichter und gelingt von Tag zu Tag besser. Natürlich werden Sie nicht schon am ersten Tag »perfekt« sein. Sie werden einfach Ihr Möglichstes tun. Das reicht für den Anfang. Sagen Sie oft zu sich: »Ich tue mein Bestes.«

Machen Sie sich Mut

Ich erinnere mich gut an meinen ersten Vortrag. Als ich das Podium verließ, sagte ich sofort zu mir: »Louise, du warst toll. Du warst absolut fantastisch fürs erste Mal. Beim fünften oder sechsten Mal wirst du ein Profi sein.«

Ein paar Stunden später sagte ich zu mir: »Ich meine, dass wir ein paar Dinge ändern können. Lass uns dies oder das hinzufügen.« Ich lehnte jede Art von Selbstkritik ab.

Wenn ich das Podium verlassen und angefangen hätte, mich zu kritisieren: »Oh, du warst furchtbar. Du hast diesen oder jenen Fehler gemacht«, dann hätte ich vor dem zweiten Vortrag Angst gehabt. So aber wurde der zweite besser als der erste, und etwa ab dem sechsten fühlte ich mich tatsächlich wie ein Profi.

Erkennen Sie, wie »das Gesetz« um uns herum immer am Werk ist

Kurz bevor ich anfing, dieses Buch zu schreiben, kaufte ich mir einen Computer mit Textverarbeitungsprogramm. Ich nannte ihn meinen »Zauberer«. Ich hatte mich dazu entschlossen, etwas Neues zu lernen. Ich entdeckte, dass das Erlernen der Arbeit mit dem Computer dem Erlernen der geistigen Gesetze sehr ähnlich ist. Wenn ich meinen Computer den Gesetzen entsprechend anwandte, »zauberte« er für mich. Wenn ich seine Gesetze aber nicht präzise befolgte, passierte entweder gar nichts oder er funktionierte nicht so, wie ich es wollte. Da war er unerbittlich. Geduldig wartete er darauf, dass ich mich mit seiner Bedienung vertraut mache. Ohne das ging es nicht. Also blieb mir nichts anderes übrig, als zu üben.

Dasselbe gilt für die Aufgabe, die Sie jetzt bewältigen wollen. Sie müssen die geistigen Gesetze kennenlernen und sie genau befolgen. Sie können sie nicht Ihrer alten Denkweise unterwerfen. Sie müssen die neue Sprache lernen und sie anwenden, nur dann werden in Ihrem Leben »Wunder« geschehen.

Vertiefen Sie das Lernen

Je mehr Möglichkeiten Sie finden, das neu Gelernte zu vertiefen, desto besser. Ich empfehle:

- Dankbarkeit ausdrücken
- Affirmationen aufschreiben
- Meditation üben
- Sport und Bewegung genießen
- Sich gesund ernähren
- Affirmationen laut sprechen
- Affirmationen singen
- Sich Zeit für Entspannungsübungen nehmen
- Visualisieren und innere Bilder einsetzen
- Lesen und Lernen

Meine tägliche Arbeit

Meine eigene tägliche Arbeit verläuft ungefähr so: Mein erster Gedanke beim Aufwachen, ehe ich meine Augen öffne, ist Dankbarkeit für alles, was ich mir nur denken kann. Nach dem Duschen folgen etwa eine halbe Stunde Meditation, Affirmationen und Gebete.

Danach ungefähr 15 Minuten Sport, normalerweise auf dem Trampolin. Manchmal mache ich um 6 Uhr beim Fernsehaerobic mit.

Jetzt bin ich fürs Frühstück fertig, das aus Obst, Fruchtsäften und Kräutertee besteht. Ich danke Mutter Erde dafür, dass sie diese Nahrungsmittel für mich bereithält, und ich danke den Nahrungsmitteln dafür, dass sie ihr Leben hergeben, mich zu ernähren.

Vor dem Mittagessen stelle ich mich gerne vor den Spiegel und spreche einige Affirmationen laut, vielleicht singe ich sie sogar – das geht ungefähr so:

– *Louise, du bist wunderbar, ich liebe dich.*
– *Heute ist einer der besten Tage deines Lebens.*
– *Alles entwickelt sich zu deinem höchsten Wohl.*
– *Alles, was du wissen musst, wird dir offenbart.*
– *Du bekommst alles, was du brauchst.*
– *Alles ist gut.*

Das Mittagessen besteht oft aus einem großen Salat. Wieder segne ich das Essen und bedanke mich.

Nachmittags verbringe ich ein paar Minuten auf meinem Schrägbrett und lasse meinen Körper entspannen. Vielleicht höre ich dazu eine Meditations-CD.

Zum Abendessen gibt es gedünstetes Gemüse und dazu Getreide. Manchmal esse ich Fisch oder Huhn. Mein Körper funktioniert am besten mit einfacher Kost. Ich esse abends gerne mit anderen, und wir segnen uns sowie das Essen.

Manchmal nehme ich mir abends ein paar Minuten zum Lesen und Lernen. Es gibt immer etwas, was man lernen kann. Jetzt ist auch ein guter Zeitpunkt, um meine jeweiligen Affirmationen zehn- oder zwanzigmal aufzuschreiben.

Beim Zubettgehen sammle ich meine Gedanken. Ich gehe den Tag noch einmal durch und segne jede Aktivität. Ich erkläre, dass ich tief schlafen und morgens fröhlich und erfrisch aufwachen werde und mich auf den neuen Tag freue.

Das klingt ziemlich überwältigend, nicht wahr? Anfangs scheint es, als ob man mit vielem zurechtkommen müsse, aber nach kurzer Zeit wird Ihre neue Art zu denken genauso Teil Ihres Lebens wie Baden oder Zähneputzen. Sie werden es automatisch tun.

Es wäre für eine Familie wunderbar, morgens ein paar dieser Dinge gemeinsam zu tun. Den Tag morgens mit gemeinsamem Meditieren zu beginnen, oder einfach vor dem Abendessen, das bringt allen Frieden und Harmonie. Sie könnten eine halbe Stunde früher aufstehen, wenn Sie meinen, Sie hätten nicht genügend Zeit. Die Wohltat wäre den Aufwand sicher wert.

Wie beginnen Sie Ihren Tag?

Was sagen Sie morgens als Erstes, wenn Sie aufwachen? Wir haben alle etwas, was wir fast jeden Morgen sagen. Ist es positiv oder negativ? Ich kann mich daran erinnern, dass ich früher beim Aufwachen stöhnte: »*Oh Gott, wieder ein neuer Tag.*« Und genauso verlief der Tag dann auch: Eins nach dem anderen ging schief. Wenn ich jetzt aufwache, sogar noch ehe ich meine Augen öffne, danke ich dem Bett für den guten Schlaf. Schließlich haben wir die ganze Nacht bequem miteinander verbracht. Dann danke ich ungefähr zehn Minuten lang, immer noch mit geschlossenen Augen, für alles Gute in meinem Leben. Ich beschäftige mich ein wenig damit, meinen Tag zu planen, und erkläre, dass alles gut gehen wird und dass ich an allem Freude haben werde. Das alles mache ich, noch ehe ich aufstehe, meditiere oder bete.

Meditation

Nehmen Sie sich jeden Tag ein paar Minuten, um ruhig sitzend zu meditieren. Wenn Sie zum ersten Mal meditieren, beginnen Sie mit fünf Minuten. Sitzen Sie ruhig, beobachten Sie Ihre Atmung und lassen Sie Ihre Gedanken sanft

durch Ihr Bewusstsein strömen. Beachten Sie sie nicht zu sehr, dann fließen sie einfach. Das Denken ist die natürliche Aktivität des Bewusstseins, daher sollten Sie nicht versuchen, Ihre Gedanken abzuschalten.

Es gibt einige Kurse und Bücher, die Ihnen helfen können, für Sie angenehme Meditationsmethoden zu finden. Es ist einerlei, wo Sie beginnen, denn Sie werden am Ende jene Methode finden, die für Sie die beste ist. Ich sitze normalerweise ruhig und frage mich: »Welches Wissen benötige ich jetzt gerade?« Ich lasse die Antwort kommen, wenn sie kommen möchte, wenn nicht, weiß ich, dass sie später kommen wird. Es gibt keine richtige oder falsche Art zu meditieren.

Eine andere Form der Meditation ist, ruhig zu sitzen und die Atmung zu beobachten, wie sie in den Körper hinein- und herausströmt. Beim Einatmen zählen Sie eins, beim Ausatmen zwei. Zählen Sie so bis zehn weiter, dann beginnen Sie wieder bei eins. Wenn Sie sich dabei ertappen, ans Wäschewaschen zu denken, fangen Sie wieder bei eins an. Wenn Sie feststellen, dass Sie bis fünfundzwanzig weitergezählt haben, fangen Sie einfach wieder bei eins an.

Ich hatte eine Klientin, die auf mich einen überaus aufgeweckten, intelligenten Eindruck machte. Sie war schlagfertig, hatte eine rasche Auffassungsgabe und viel Sinn für Humor. Und trotzdem bekam sie ihr Leben nicht in den Griff. Sie hatte Übergewicht, war ständig pleite, enttäuscht über ihre Berufslaufbahn und seit vielen Jahren ohne Liebesbeziehung. Die metaphysischen Konzepte, die ich ihr nahebrachte, fand sie sehr einleuchtend. Aber sie war zu schlau und überaktiv. Es fiel ihr schwer, über einen angemessenen Zeitraum geduldig die Gedanken zu praktizieren, die sie verstandesmäßig so rasch erfassen konnte.

Die tägliche Meditation half ihr enorm. Wir fingen mit nur fünf Minuten an und steigerten die Dauer schrittweise auf fünfzehn bis zwanzig Minuten.

Übung: Tägliche Affirmationen

Wählen Sie ein oder zwei Affirmationen aus und *schreiben* Sie diese zehn- oder zwanzigmal täglich. *Lesen Sie sie laut,* mit Begeisterung. Machen Sie aus Ihren Affirmationen ein Lied und *singen Sie sie* fröhlich. Wiederholen Sie den ganzen Tag in Gedanken Ihre Affirmationen. Ständig benutzte Affirmationen werden zu Überzeugungen und bringen Ergebnisse hervor, die manchmal unsere kühnsten Vorstellungen übertreffen.

Eine meiner Überzeugungen ist, dass ich immer ein gutes Verhältnis zu meinen Vermietern habe. Mein letzter Vermieter in New York war dafür bekannt, ein besonders schwieriger Mensch zu sein. Alle Mieter beklagten sich über ihn. In den fünf Jahren, die ich dort wohnte, sah ich ihn nur dreimal. Als ich mich dazu entschlossen hatte, nach Kalifornien umzuziehen, wollte ich meine gesamte Habe verkaufen und frisch und unbelastet von der Vergangenheit wieder anfangen. Ich fing an, Affirmationen wie diese anzuwenden:

– All mein Besitz ist leicht und schnell zu verkaufen.
– Der Umzug wird sehr einfach zu bewältigen sein.
– Alles wird in der göttlichen richtigen Ordnung ablaufen.
– Alles ist gut.

Ich verschwendete keinen Gedanken daran, wie schwierig es sein könnte, etwas zu verkaufen oder wo ich die letzten paar Nächte schlafen würde, oder an irgendwelche anderen negativen Vorstellungen. Ich wiederholte stattdessen meine

Affirmationen. Meine Klienten und Schüler kauften schnell die wenigen Sachen und die meisten Bücher. Ich informierte meinen Vermieter in einem Brief, dass ich meinen Mietvertrag nicht verlängern würde. Zu meiner Überraschung erhielt ich von ihm einen Anruf, in dem er mir mitteilte, er bedauere meinen Auszug. Er bot mir an, mir für meinen Vermieter in Kalifornien eine Empfehlung zu schreiben, und fragte, ob er nicht meine Möbel kaufen könnte, weil er sich entschlossen hätte, die Wohnung möbliert zu vermieten.

Meine höhere Intelligenz hatte zwei Überzeugungen zusammengefügt, und zwar so, wie ich es mir nicht hätte träumen lassen: »Ich habe immer eine gute Beziehung zu meinem Vermieter.« Und: »Alles wird leicht und schnell zu verkaufen sein.« Zur Verwunderung der anderen Mieter konnte ich in meinem eigenen Bett in einer angenehm möblierten Wohnung bis zum letzten Moment schlafen und *bekam es sogar bezahlt!* Ich zog mit ein paar Kleidungsstücken, meinem Entsafter, meinem Mixer, meinem Fön, meiner Schreibmaschine sowie einem dicken Scheck aus und stieg in aller Ruhe in den Zug nach Los Angeles.

Glauben Sie nicht an Einschränkungen

Nach meiner Ankunft in Kalifornien musste ich mir ein Auto kaufen. Ich hatte noch nie einen Kredit aufgenommen, da ich bisher weder ein Auto besessen noch einen größeren Kauf getätigt hatte. Die Banken gewährten mir keinen Kredit. In meinem Fall half es nicht, Frau und selbstständig zu sein. Ich wollte nicht meine gesamten Ersparnisse für einen Autokauf verwenden. Einen Kredit aufnehmen zu wollen war, wie wenn sich eine Katze in den Schwanz beißt. Ich verweigerte jeden negativen Gedanken an diese Situation oder die Bank. Ich mietete ein Auto und erklärte ohne Unterlass: »Ich werde ein wunderschönes neues Auto haben, und es gelangt mühelos zu mir.«

Ich erzählte auch jedem, den ich traf, dass ich ein neues Auto kaufen wollte und dass es mir bis jetzt nicht möglich war, einen Kredit aufzunehmen. Nach ungefähr drei Monaten lernte ich eine Geschäftsfrau kennen, die mich sofort mochte. Als ich ihr meine Geschichte von dem Auto erzählte, sagte sie: »Ich werde mich darum kümmern.«

Sie hatte bei einer Bank eine Freundin, die ihr noch einen Gefallen schuldete. Sie rief sie an und erzählte ihr, dass ich eine »alte« Freundin sei, und versah mich mit den besten Referenzen. Nach drei Tagen fuhr ich in einem tollen neuen Auto vom Hof eines Autohändlers.

Meine Freude war nicht so groß wie meine Ehrfurcht angesichts dieses Vorgangs. Ich glaube, der Grund dafür, dass es drei Monate dauerte, bis ich das Auto schließlich hatte, war, dass ich mich niemals vorher auf eine Ratenzahlung eingelassen hatte.

Das kleine Kind in mir hatte Angst davor und brauchte Zeit und Mut zu diesem Schritt.

Übung: Ich liebe mich

Ich gehe davon aus, dass Sie bereits fast nonstop
»Ich erkenne mich an« sagen. Das ist ein starkes
Fundament. Behalten Sie es mindestens einen
Monat lang bei.

Jetzt nehmen Sie sich ein Blatt Papier und schreiben ganz oben hin: »Ich liebe mich, deshalb...«
Beenden Sie diesen Satz auf so viele Arten, wie es
Ihnen einfällt. Lesen Sie diese Liste täglich und
fügen Sie neue Sätze hinzu, wie es Ihnen gerade
in den Sinn kommt.

Wenn Sie einen Partner haben, mit dem Sie arbeiten können, dann tun Sie es. Halten Sie sich
an den Händen und sagen Sie abwechselnd: »Ich
liebe mich, deshalb...« Die größte Wohltat bei
dieser Übung ist, dass Sie Folgendes lernen: Es ist
nahezu unmöglich, sich zu kritisieren, wenn Sie
sagen, Sie lieben sich.

Übung: Das Neue fordern

Stellen Sie sich vor, visualisieren Sie, dass Sie bereits das haben, tun oder sind, auf das Sie hinarbeiten. Gehen Sie dabei ins Detail. Fühlen Sie, sehen Sie, schmecken Sie, berühren Sie, hören Sie. Beobachten Sie, wie andere Leute auf Ihren neuen Zustand reagieren. Gestalten Sie Ihre Vision so, dass Sie selbst sich damit wohlfühlen, ungeachtet der Reaktionen anderer.

Übung: Erweitern Sie Ihr Wissen

Lesen Sie so viel Sie können über die Funktion des menschlichen Geistes, um Ihr Bewusstsein und Ihr Verständnis zu erweitern. Es gibt so viel zu lernen und zu entdecken! Dieses Buch ist nur *ein* Schritt auf Ihrem Weg! Lernen Sie auch andere Sichtweisen kennen. Hören Sie zu, wenn andere etwas sagen.

Schließen Sie sich einer Gruppe an, wo Sie gemeinsam mit anderen lernen und spirituell wachsen können. Doch verlassen Sie diese Gruppe auch zur rechten Zeit wieder, wenn es für Sie dort

nichts weiteres mehr zu lernen gibt.

Dieser persönliche Entwicklungsprozess ist eine Lebensaufgabe. Sie fühlen sich besser damit, und Ihr Leben wird schöner und intensiver, je mehr Sie ler-

nen, je mehr Sie wissen und je mehr Sie dieses Wissen anwenden. Diese Arbeit an sich selbst zu tun fühlt sich einfach wunderbar an!

Resultate lassen nicht auf sich warten

Wenn Sie intensiv Erfahrungen mit möglichst vielen der hier vorgestellten Methoden sammeln, werden sich schon bald Resultate einstellen. Sie werden erleben, dass sich viele kleine Wunder ereignen. Das, was Sie aus Ihrem Leben eliminieren möchten, wird wie von selbst verschwinden. Dinge und Ereignisse, die Sie sich wünschen, werden scheinbar wie aus heiterem Himmel in Ihrem Leben auftauchen. Sie werden Gutes erhalten, von dem Sie nicht einmal geträumt haben!

Ich war so überrascht und erfreut, als ich nach ein paar Monaten meiner Bewusstseinsarbeit anfing, wesentlich jünger auszusehen. Heute sehe ich zehn Jahre jünger aus als vor zehn Jahren!

Lieben Sie, wer und was Sie sind und was Sie tun! Lachen Sie über sich und über das Leben, und nichts wird Sie beeinträchtigen können. Es ist sowieso alles nur vorübergehend. Im nächsten Leben werden Sie es ohnehin anders machen, warum also nicht sofort?

Sie könnten ein Buch von Norman Cousins lesen. Er heilte sich mit Lachen von einer verhängnisvollen Krankheit. Unglücklicherweise änderte er nicht das Bewusstseinsmuster, das diese Krankheit verursacht hatte, und rief einfach stattdessen andere hervor. Aber auch von dieser befreite er sich, indem er sich wieder gesund lachte!

Es gibt so viele Möglichkeiten, Ihre Heilung anzugehen. Probieren Sie alle aus und verwenden Sie dann jene, die Ihnen am meisten zusagen.

Wenn Sie abends zu Bett gehen, schließen Sie die Augen und danken Sie für all das Gute in Ihrem Leben. Das wird Ihnen noch mehr Gutes einbringen.

Bitte beenden Sie Ihren Tag nicht mit den Abendnachrichten in Radio oder Fernsehen. Die Nachrichten sind nur eine Aufzählung von Katastrophen, und das wollen Sie doch wohl nicht mit in Ihre Traumwelt nehmen! Während des Träumens findet viel klärende Arbeit statt. Sie können Ihre Träume veranlassen, bei allem, woran Sie arbeiten, zu helfen. Oft werden Sie bis zum nächsten Morgen eine Antwort finden.

Gehen Sie friedvoll schlafen. Vertrauen Sie dem Lauf des Lebens und streben Sie immer nach Ihrer größten Freude und dem höchsten Wohl für alle Beteiligten.

Es gibt keinen Grund, aus dem, was Sie tun, eine Schinderei zu machen. Es kann Spaß machen. Es kann ein Spiel sein. Das liegt ganz bei Ihnen!

Wenn Sie wollen, kann es sogar Spaß machen, zu vergeben und Verbitterung aufzulösen. Noch einmal: Texten Sie ein kleines Lied über den Menschen oder die Situation, an den oder die Sie sich so gebunden fühlen. Es erhellt den gesamten Vorgang, wenn Sie ein Liedchen singen. Wenn ich mit Einzelklienten arbeite, bin ich immer bestrebt, möglichst bald Lachen und Humor zu wecken. Je schneller wir über die ganze Sache lachen können, desto einfacher ist es, sie hinter sich zu lassen.

Sie würden sofort vor Lachen aus dem Sitz fallen, wenn Sie Ihre Probleme auf der Bühne in einem Boulevardstück von Neil Simon sehen könnten. Tragödie und Komödie sind dasselbe. Es kommt immer nur auf unseren Blickwinkel an! »Was sind wir Sterbliche doch für Narren!«

Tun Sie, was Sie können, um Ihre innere Transformation zu einem Vergnügen zu machen. Mit Freude geht es einfach besser!

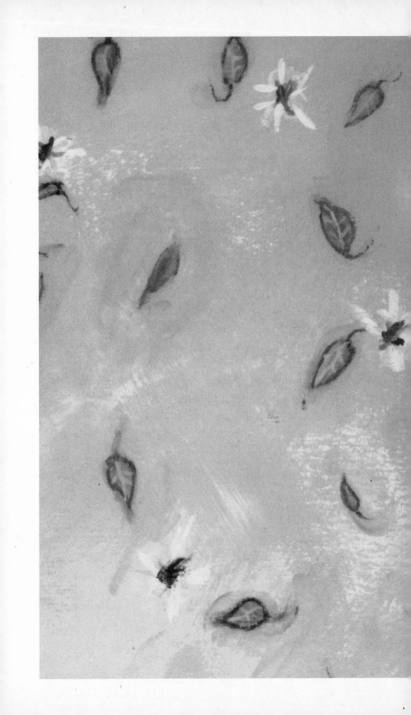

In der Unendlichkeit des Lebens, dort, wo ich bin,
ist alles heil und vollkommen.

✳

Ich unterstütze mich selbst,
und das Leben unterstützt mich.

✳

Ich erkenne überall um mich herum
und in jedem Bereich meines Lebens Zeichen dafür,
dass das Gesetz funktioniert.

✳

Ich verstärke mit Freude das, was ich lerne.

✳

Mein Tag beginnt mit Dankbarkeit und Freude.

✳

Ich sehe mit Begeisterung den Abenteuern
des Tages entgegen und weiß,
dass in meinem Leben »alles gut ist«.

✳

Ich liebe mich und alles, was ich tue.

✳

Ich bin der lebendige, liebende, freudige Ausdruck
des Lebens.

✳

Alles ist gut in meiner Welt.

Teil 3
Diese Gedanken in die Tat umsetzen

10

Beziehungen

»Alle meine Beziehungen sind harmonisch.«

Es scheint, als sei alles im Leben Beziehung. Wir haben mit allem Beziehungen. Sie haben jetzt sogar eine Beziehung zu diesem Buch, das Sie lesen, zu mir und meinen Vorstellungen.

Die Beziehung, die Sie zu Gegenständen, Nahrungsmitteln, dem Wetter, dem Reisen und zu Menschen haben, spiegeln die Beziehung wider, die Sie zu sich selbst haben. Die Beziehung, die Sie zu sich haben, wird in hohem Maße von den Beziehungen beeinflusst, die Sie in Ihrer Kindheit zu den Erwachsenen in Ihrer Umgebung hatten. Wir neigen dazu, uns heute selbst so zu behandeln, wie wir damals von den Erwachsenen behandelt wurden, im Positiven wie im Negativen.

Vergegenwärtigen Sie sich einen Augenblick die Wörter, die Sie benutzen, wenn Sie sich selbst beschimpfen. Sind es

nicht dieselben Wörter, die Ihre Eltern benutzten, wenn sie mit Ihnen schimpften? Welche Wörter benutzten sie, wenn sie Sie lobten? Ich bin sicher, dass Sie heute die gleichen Wörter benutzen, wenn Sie sich selbst loben.

Vielleicht wurden Sie nie gelobt, dann haben Sie heute keine Vorstellung davon, wie man sich selbst lobt. Vielleicht denken Sie, dass es an Ihnen nichts Lobenswertes gibt. Ich mache unseren Eltern keine Vorwürfe, weil wir alle Opfer von Opfern sind. Sie konnten Ihnen unmöglich etwas beibringen, was sie selbst nicht wussten.

Sondra Ray, die große Pionierin des Rebirthing, die sehr viel auf dem Gebiet der Beziehungen gearbeitet hat, behauptet, dass jede wichtige Beziehung, die wir haben, ein Abbild der Beziehung ist, die wir zu einem Elternteil hatten. Sie behauptet auch, dass wir uns niemals eine wunschgemäße Beziehung aufbauen können, ehe wir nicht diese ersten geklärt haben.

Beziehungen sind Spiegel unserer selbst. Unsere Attraktivität einem Menschen gegenüber spiegelt immer entweder Eigenschaften, die wir haben, wider oder unsere Auffassung, die wir von Beziehungen haben. Das gilt, ob es nun ein Chef ist, ein Mitarbeiter, ein Freund, ein Liebhaber, ein Ehepartner oder ein Kind. Was Ihnen an diesen Menschen missfällt, ist entweder das, was Sie selbst tun, gerne tun würden oder was Sie glauben. Sie würden auf diese Menschen nicht anziehend wirken oder sie um sich haben, wenn deren Wesenszüge nicht etwas in Ihnen selbst spiegelten.

Übung: Wir und die anderen

Betrachten Sie für einen Augenblick jemanden in Ihrem Leben, über den Sie sich ärgern. Beschreiben Sie dann drei Dinge, die Ihnen an diesem Menschen nicht gefallen, etwas, was er Ihrer Meinung nach verändern sollte. Jetzt schauen Sie tief in sich hinein und stellen sich selbst die Frage: »Wo bin ich genauso und wann tue ich diese gleichen Dinge?«

Schließen Sie die Augen und nehmen Sie sich Zeit dafür.

Dann stellen Sie sich die Frage: »*Bin ich bereit, mich zu verändern?*«

Wenn Sie die entsprechenden Muster, Gewohnheiten und Überzeugungen aus Ihrem Denken und Ihrem Verhalten entfernen, werden sich jene Menschen entweder ebenfalls verändern oder aus Ihrer Umgebung verschwinden.

Wenn Sie einen Chef haben, der kritisch ist und den man unmöglich zufriedenstellen kann, schauen Sie in sich hinein. Entweder Sie sind auf einer gewissen Ebene genauso oder Sie glauben: »Chefs sind immer kritisch, man kann sie unmöglich zufriedenstellen.«

Wenn Sie einen Angestellten haben, der nicht gehorcht oder etwas nicht durchzieht, schauen Sie, wo Sie das ebenfalls tun, und bereinigen Sie es. Wenn Sie ihn entlassen und glauben, damit wäre das Problem gelöst, machen Sie es

sich zu einfach. Dadurch korrigieren Sie nämlich nicht Ihr eigenes Verhaltensmuster. Wenn es einen Mitarbeiter gibt, der nicht zusammenarbeiten und nicht Teil des Teams sein möchte, schauen Sie, wie Sie dieses Verhalten bewirkt haben könnten. Wo sind Sie selbst nicht bereit zur Zusammenarbeit?

Wenn Sie einen unzuverlässigen Freund haben, der Sie im Stich lässt, gehen Sie in sich. In welchem Bereich Ihres Lebens sind Sie selbst unzuverlässig und wann lassen Sie andere im Stich? Entspricht das Ihrer Überzeugung?

Wenn Ihr Partner oder Ihre Partnerin gefühllos zu sein scheint, dann schauen Sie, ob es in Ihnen eine Überzeugung gibt, die daher kommt, dass Sie als Kind Ihre Eltern beobachtet haben und Ihnen vermittelt wurde: »Liebe ist kalt und wird nicht nach außen gezeigt.«

Wenn Ihre Frau oder Ihr Mann dauernd nörgelt und Sie nicht unterstützt, betrachten Sie wieder Ihre aus der Kindheit stammenden Überzeugungen. Hat ein Elternteil dauernd genörgelt oder war wenig kooperativ? Sind Sie auch so?

Wenn Sie ein Kind mit Gewohnheiten haben, die Sie stören, garantiere ich, dass dies Ihre eigenen Gewohnheiten sind. Kinder lernen nur durch Nachahmen der Erwachsenen, die um sie sind. Bringen Sie das Entsprechende in Ihrem Leben in Ordnung, dann werden Sie feststellen, dass Ihr Kind sich ganz von allein ändert.

Das ist die einzige Art, andere zu ändern – man muss zuerst sich selbst ändern. Ändern Sie Ihr Verhaltensmuster und Sie werden feststellen, dass die anderen sich dann Ihnen gegenüber anders verhalten.

Es ist nutzlos, sich selbst oder den anderen die Schuld zu geben. Damit vergeuden Sie nur Energie. Nutzen Sie diese Energie auf bessere Art, nämlich für positive Veränderungen in Ihrem Leben. Jemand, der sich als hilfloses Opfer fühlt, sieht nicht die möglichen Auswege aus seiner Situation.

Liebe finden

Liebe entsteht, wenn wir sie am allerwenigsten erwarten, wenn wir sie nicht suchen. Die Jagd nach Liebe bringt nie den richtigen Partner. Die Suche nach Liebe verursacht nur Sehnsucht und Unglücklichsein. Liebe befindet sich niemals außerhalb. Liebe ist in uns.

Bestehen Sie nicht darauf, dass die Liebe unverzüglich zu Ihnen kommen soll. Vielleicht sind Sie noch nicht bereit oder Sie haben sich noch nicht weit genug entwickelt für die Liebe, die Sie sich vorstellen.

Binden Sie sich nicht einfach an irgendjemanden, nur um nicht allein zu sein. Setzen Sie Ihre eigenen Maßstäbe. Welche Art von Liebe wünschen Sie sich? Kultivieren Sie zunächst in sich selbst die Eigenschaften, die Sie sich bei einem Partner oder einer Partnerin wünschen, dann werden Sie den passenden Menschen in Ihr Leben ziehen.

Untersuchen Sie, warum die Liebe von Ihnen fernbleibt. Sind Sie zu kritisch? Mangelt es Ihnen am nötigen Selbstwertgefühl? Setzen Sie unsinnige Maßstäbe, zum Beispiel unrealistische Filmstar-Klischeevorstellungen? Haben Sie Angst vor Nähe? Glauben Sie, nicht liebenswert zu sein?

Seien Sie bereit für die Liebe, wenn sie zu Ihnen kommt. Bereiten Sie den Boden vor und seien Sie bereit, die Liebe zu hegen und zu pflegen. Seien Sie liebevoll, denn dann sind Sie auch liebenswert. Seien Sie offen und empfänglich für die Liebe.

In der Unendlichkeit des Lebens, dort, wo ich bin,
ist alles heil und vollkommen.

✳

Ich lebe mit jedem, den ich kenne,
in Harmonie und Ausgeglichenheit.

✳

Tief im Zentrum meines Wesens gibt es
eine unendliche Quelle der Liebe.

✳

Jetzt lasse ich diese Liebe an die Oberfläche
strömen. Sie erfüllt mein Herz,
meinen Körper, meinen Geist, mein Bewusstsein,
mein ganzes Wesen, strahlt von mir in alle
Richtungen aus und kehrt vielfach vermehrt
zu mir zurück.

✳

Je mehr Liebe ich verbreite und gebe,
desto mehr habe ich zu geben.

✳

Der Vorrat an Liebe ist unendlich.

✳

Liebe zu verströmen tut mir gut,
es ist ein Ausdruck meiner inneren Freude.

✳

Ich liebe mich. Deshalb kümmere ich mich
liebevoll um meinen Körper.

✳

Liebevoll gebe ich ihm nahrhaftes Essen und Getränke,
ich pflege und kleide ihn liebevoll,
und mein Körper antwortet darauf liebevoll
mit pulsierender Gesundheit und Energie.

Ich liebe mich. Deshalb statte ich mich
mit einer bequemen Wohnung aus,
die alle meine Bedürfnisse befriedigt
und in der ich mich voller Freude aufhalte.

✳

Ich fülle die Räume mit dem Pulsschlag der Liebe,
damit alle Besucher und ich ebenfalls diese Liebe
fühlen und durch sie gestärkt werden.

✳

Ich liebe mich. Deshalb habe ich eine Arbeitsstelle,
die mir wirklich Spaß macht, eine, die meine
kreativen Begabungen und Fähigkeiten fordert.

✳

Ich arbeite für und mit Menschen, die ich liebe und
die mich lieben, und ich verdiene ein gutes Gehalt.

✳

Ich liebe mich. Deshalb verhalte ich mich allen
Menschen gegenüber liebevoll und denke über sie
liebevoll, denn ich weiß, dass das, was ich
gebe, vielfach vermehrt zu mir zurückkehrt.

✳

Ich ziehe nur liebevolle Menschen in mein Leben,
denn sie sind ein Spiegel dessen, was ich bin.

✳

Ich liebe mich. Deshalb vergebe ich
mir selbst und allen anderen und löse mich
vollständig von der Vergangenheit. Ich bin frei.
Alles ist gut in meiner Welt.

II

Arbeit

»Alles, was ich im Leben tue, schenkt mir tiefe Erfüllung.«

Würden Sie es nicht sehr schön finden, wenn die oben genannte Affirmation für Sie Wirklichkeit würde? Vielleicht haben Sie sich selbst durch einige der folgenden Gedanken eingeengt:

- Ich ertrage diese Arbeit nicht.
- Ich hasse meinen Chef.
- Ich verdiene nicht genug Geld.
- Sie erkennen mich in meinem Beruf nicht an.
- Ich komme mit meinen Kollegen nicht zurecht.
- Ich weiß nicht, was ich tun soll.

Das ist negatives, abwehrendes Denken. Wie wollen Sie damit beruflich vorankommen? Sie packen das Thema vom falschen Ende her an.

Wenn Sie eine Arbeitsstelle haben, die Sie nicht interessiert, wenn Sie Ihre Tätigkeit verändern wollen, wenn Sie Schwierigkeiten am Arbeitsplatz haben oder wenn Sie arbeitslos sind, ist es am besten, folgendermaßen damit umzugehen:

Beginnen Sie damit, dass Sie Ihre jetzige Position mit Liebe segnen. Machen Sie sich klar, dass sie lediglich ein Schritt auf Ihrem Weg ist. Sie sind nur aufgrund Ihrer eigenen Denkmuster dort, wo Sie sind. Wenn Sie von »denen« nicht so behandelt werden, wie Sie behandelt werden möchten, dann gibt es in Ihrem Bewusstsein ein Muster, durch das Sie ein solches Benehmen auf sich ziehen. Lassen Sie deshalb vor Ihrem inneren Auge Ihren jetzigen Job oder, falls Sie gerade arbeitslos sind, den letzten Job davor Revue passieren, und fangen Sie an, alles mit Liebe zu segnen – das Gebäude, die Räume, die Möbel und die Ausstattung, Ihre Vorgesetzten und Ihre Kollegen und jeden einzelnen Kunden.

Benutzen Sie die Affirmationen: »Ich arbeite immer für die wunderbarsten Chefs.« »Mein Chef behandelt mich immer respektvoll und höflich.« Und: »Mein Chef ist großzügig, und es ist angenehm, für ihn zu arbeiten.« Das wird Sie enorm voranbringen, und wenn Sie dann eines Tages selbst Chef sind, werden Sie sich auch so verhalten.

Ein junger Mann wollte eine neue Stelle antreten und war aufgeregt. Ich erinnere mich, dass ich sagte: »Warum sollten Sie Ihre Sache nicht gut machen? *Natürlich* werden Sie Erfolg haben. Öffnen Sie Ihr Herz und lassen Sie Ihre Begabungen aus sich herausströmen. Segnen Sie die Firma, Ihre Kollegen und Ihre Arbeitgeber und jeden einzelnen Kunden mit Liebe, und alles wird gut gehen.«

Er machte es genau so und hatte großen Erfolg.

Wenn Sie Ihre Arbeitsstelle aufgeben wollen, beginnen Sie mit der Affirmation, dass Sie Ihre jetzige Arbeitsstelle liebevoll für den Nachfolger freigeben, der sich freut, sie zu bekommen. Machen Sie sich bewusst, dass es Menschen gibt, die genau nach dem suchen, was Sie anzubieten haben, und dass Sie auf dem Schachbrett des Lebens nun mit diesen Menschen zusammengeführt werden.

Affirmation für das Berufsleben

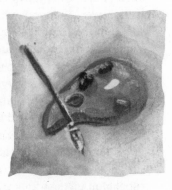

»Ich bin jetzt offen für eine wunderbare neue berufliche Aufgabe, bei der ich alle meine Begabungen und Fähigkeiten optimal nutzen kann und kreative Erfüllung finde. Ich arbeite mit und für Menschen, die ich liebe und die mich lieben und respektieren. Ich arbeite an einer wunderbaren Arbeitsstelle und verdiene ein gutes Gehalt.«

Sollte ein Mitarbeiter Sie ärgern, segnen Sie ihn immer mit Liebe, wenn Sie an ihn denken. In jedem Einzelnen von uns schlummern alle erdenklichen Eigenschaften. *Auch wenn wir uns normalerweise für keines von beidem entscheiden, könnte doch jeder von uns ein neuer Hitler oder eine neue Mutter Theresa werden.* Wenn dieser Kollege oder Vorgesetzte kritisch ist, verwenden Sie die Affirmation, dass er liebens- und lobenswert ist. Wenn die betreffende Person griesgrämig ist, affirmieren Sie, dass sie fröhlich ist und die Zusammenarbeit mit ihr angenehm. Ist sie grausam, affirmieren Sie, dass sie sanft und mitfühlend ist. Wenn Sie nur die guten Eigenschaften in anderen Menschen sehen, müssen Sie sie ihnen gegenüber auch zeigen, gleichgültig, wie sie sich anderen gegenüber verhalten.

Beispiel

Ein Mann hatte eine neue Stelle, er sollte in einem Klub Klavier spielen. Der Chef dieses Klubs war dafür bekannt, unfreundlich und gemein zu sein. Die Angestellten nannten den Chef hinter seinem Rücken immer »Herrn Tod«. Ich wurde gefragt, wie man dieser Situation Herr werden könnte.

Ich antwortete: »In jedem Menschen gibt es alle guten Eigenschaften. Gleichgültig, wie andere ihm gegenüber reagieren, es hat nichts mit Ihnen zu tun. Jedes Mal, wenn Sie an diesen Mann denken, segnen Sie ihn mit Liebe. Wiederholen Sie für sich die Affirmation: Ich arbeite für tolle Chefs. Tun Sie das immer und immer wieder.«

Er nahm meinen Ratschlag an und verhielt sich genauso. Mein Klient wurde herzlich begrüßt, der Chef fing an, ihm Gratifikationen zuzustecken, und engagierte ihn für mehrere andere Klubs. Die anderen Angestellten, die ihm weiterhin ihre negativen Gedanken zukommen ließen, wurden laufend schlecht behandelt.

Wenn Sie Ihren Arbeitsplatz mögen, aber meinen, nicht gut genug bezahlt zu werden, fangen Sie an, Ihr jetziges Gehalt mit Liebe zu segnen. Wenn wir Dankbarkeit für das ausdrücken, was wir bereits haben, kann es wachsen. Bejahen Sie, dass Sie Ihr Bewusstsein einem größeren Wohlstand gegenüber öffnen, und ein *Teil* dieses Wohlstands ist ein besseres Gehalt. Bejahen Sie, dass Sie eine Gehaltserhöhung verdienen, nicht aus banalen Gründen, sondern weil Sie ein großer Trumpf für die Firma sind. Geben Sie in Ihrem Beruf immer Ihr Bestes, denn dann wird das Universum erkennen, dass Sie bereit dafür sind, von Ihrem jetzigen Posten auf einen noch besseren befördert zu werden.

Ihr Bewusstsein hat Sie dorthin gebracht, wo Sie jetzt sind. Ihr Bewusstsein wird Sie dort halten oder Sie auf eine bessere Position befördern. Es hängt ganz von Ihnen ab.

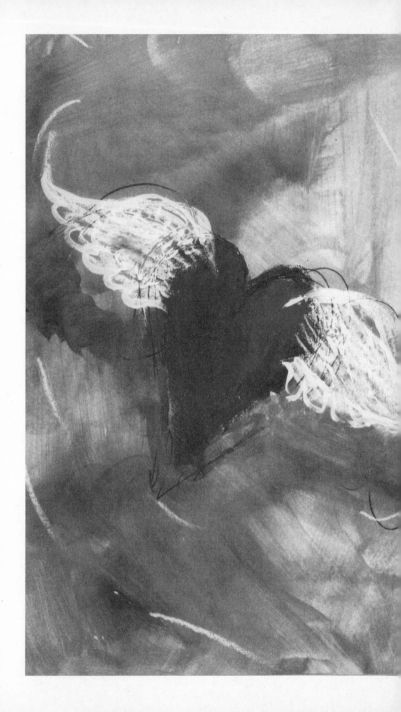

In der Unendlichkeit des Lebens, dort, wo ich bin,
ist alles heil und vollkommen.

Meine einzigartigen schöpferischen Begabungen
durchströmen mich, und ich bringe sie
auf zutiefst befriedigende Weise zum Ausdruck.

Es gibt immer Menschen, die genau das suchen,
was ich anzubieten habe.

Ich bin immer gefragt,
kann aussuchen und entscheiden,
was ich tun möchte.

Alles ist gut in meiner Welt.

12

Erfolg

»Jede Erfahrung ist ein Erfolg.«

Was bedeutet »Misserfolg« überhaupt? Bedeutet es, dass sich etwas nicht so entwickelt, wie Sie wollten oder sich erhofften? Das Gesetz der Erfahrung ist immer vollkommen. Wir malen uns unsere Gedanken und Überzeugungen vollkommen aus. Sie müssen also einen Schritt ausgelassen haben oder Sie hatten eine innere Überzeugung, die dem Erfolg im Weg stand – oder es lag an mangelndem Selbstwertgefühl.

So geht es mir auch, wenn ich an meinem Computer arbeite. Wenn ein Fehler auftritt, dann liegt es immer an mir selbst. Ich habe etwas getan, das nicht den Gesetzen des Computers entsprach. Das bedeutet nur, dass es wieder etwas für mich zu lernen gibt.

Das alte Sprichwort »Übung macht den Meister« ist absolut zutreffend. Es bedeutet nicht, sich selbst niederzumachen und es dann doch wieder mit der gleichen alten Methode zu versuchen. Es bedeutet, seinen Irrtum zu erkennen und andere Methoden auszuprobieren – bis Sie gelernt haben, es richtig zu machen.

Ich meine, es ist unser Naturrecht, unser Leben lang von Erfolg zu Erfolg zu gehen. Wenn uns das nicht gelingt, besteht entweder keine Harmonie zwischen uns und unseren angeborenen Fähigkeiten oder wir glauben nicht, dass Erfolg für uns realisierbar ist, oder wir erkennen unseren Erfolg nicht.

Wir werden immer Misserfolg haben, wenn wir uns Ziele setzen, die für unsere augenblickliche Situation zu hoch gesteckt sind oder die wir zurzeit nicht erreichen können.

Wenn ein kleines Kind dabei ist, laufen oder sprechen zu lernen, ermutigen wir es wegen jedes winzigen Fortschritts. Das Kind strahlt und versucht fleißig, es noch besser zu machen. Verhalten Sie sich selbst gegenüber auch so, wenn Sie etwas Neues lernen? Oder erschweren Sie sich das Lernen dadurch, dass Sie sich sagen, Sie seien dumm, ungeschickt oder ein Versager?

Viele Schauspielerinnen und Schauspieler meinen, ihr Auftritt bei der ersten Probe müsste perfekt sein. Ich erinnere sie aber daran, dass der Zweck der Probe das Lernen ist. Die Probe ist jene Phase, in der man Fehler macht, neue Wege beschreitet und lernt. Nur durch häufiges Üben lernen wir das Neue und machen es zum natürlichen Teil unseres Lebens. Wenn Sie einen wirklichen Fachmann irgendeines Ge-

bietes beobachten, dann beruht sein Können fast immer auf unzähligen Stunden des Übens.

Machen Sie nicht den Fehler, den ich oft machte – ich weigerte mich immer wieder, Neues zu versuchen, weil ich nicht wusste, wie ich es bewerkstelligen sollte, und ich wollte nicht als dumm gelten. Lernen heißt Fehler machen, bis unser Unterbewusstsein die richtigen Bilder zusammenfügen kann.

Es spielt keine Rolle, wie lange Sie sich selbst als Versager gesehen haben. Sie können gleich jetzt damit anfangen, ein Denkmuster für Erfolg zu entwickeln. Es spielt keine Rolle, auf welchem Gebiet Sie vorgehen wollen. Die Grundsätze sind dieselben. Wir müssen die »Saat« des Erfolges säen. Diese Saat wird zu einer überreichen Ernte heranwachsen.

Nachfolgend sind einige Erfolgsaffirmationen, die Sie anwenden können:

- Göttliche Klugheit gibt mir alle Ideen ein, die ich für meinen Erfolg brauche.
- Alles, was ich angehe, wird zum Erfolg.
- Es ist immer genug für alle da, auch für mich.
- Es gibt eine Menge Kunden für das, was ich anzubieten habe.
- Ich schaffe mir ein neues Erfolgsbewusstsein.

- Ich rücke in den Kreis der Gewinner vor.
- Ich bin ein Magnet für göttliches Wohlergehen.
- Ich bin mehr gesegnet, als ich es mir je hätte träumen lassen.
- Ich ziehe jetzt Reichtum jeder Art in mein Leben.
- Überall bieten sich mir goldene Gelegenheiten.

Nehmen Sie sich eine dieser Affirmationen und wiederholen Sie sie mehrere Tage. Dann nehmen Sie eine andere und machen es ebenso. Lassen Sie diese Affirmationen Ihr Bewusstsein durchdringen. Machen Sie sich keine Gedanken über das »Wie«: Die Gelegenheiten werden Ihren Weg kreuzen. Vertrauen Sie darauf, dass Ihre innere Klugheit Sie leitet und führt. Sie verdienen es, in jedem Lebensbereich erfolgreich zu sein.

In der Unendlichkeit des Lebens,
dort, wo ich bin, ist alles heil und vollkommen.

✳

Ich bin eins mit der Macht,
die mich geschaffen hat.

✳

Ich trage alles Erfolgsnotwendige in mir.

✳

Ich lasse jetzt die Erfolgsformel
durch mich strömen
und sich in meiner Welt manifestieren.

✳

Alles, zu dem meine innere Weisheit
mich hinführt,
wird ein Erfolg.

✳

Ich lerne aus jeder Erfahrung.

✳

Ich schreite von Erfolg zu Erfolg.

✳

Mein Weg führt mich Schritt für Schritt
zu immer größeren Erfolgen.

✳

Alles ist gut in meiner Welt.

13

Wohlstand

*»Ich verdiene das Beste
und akzeptiere ab jetzt das Beste.«*

Wenn Sie möchten, dass sich diese Affirmation für Sie bewahrheitet, dann dürfen Sie keine der nachfolgenden Aussagen glauben:

- Geld wächst nicht auf Bäumen.
- Geld stinkt.
- Geld ist böse.
- Ich bin arm, aber rein und gut.
- Reiche Leute sind Schwindler.
- Ich will nicht reich und hochnäsig sein.
- Ich werde nie eine gute Arbeitsstelle haben.
- Ich werde nie viel Geld verdienen.
- Geld ist schneller ausgegeben als verdient.
- Ich habe immer Schulden.

- Arme Leute schaffen niemals den Aufstieg.
- Meine Eltern waren arm, also werde auch ich arm sein.
- Künstler haben es schwer, über die Runden zu kommen.
- Nur unehrliche Leute bringen es zu Geld.
- Alle anderen kommen zuerst.
- Oh, ich könnte niemals so viel für meine Dienste verlangen.
- Ich verdiene es nicht.
- Ich bin nicht gut genug, Geld zu verdienen.
- Ich verrate niemandem, was ich auf dem Konto habe.
- Verleihe niemals Geld.
- Man muss jeden Cent zweimal herumdrehen.
- Lieber für schlechte Zeiten sparen, als sich etwas gönnen.
- Die nächste Wirtschaftskrise kommt bestimmt.
- Ich verüble anderen ihr Geld.
- Nur durch harte Arbeit kann man es zu etwas bringen.

Wie vielen dieser Aussagen würden Sie zustimmen? Glauben Sie wirklich, Sie könnten zu Wohlstand kommen, wenn Sie auch nur eine davon für wahr halten?

Das alles ist veraltetes, einengendes Denken. Vielleicht dachte Ihre Familie so über Geld, denn familiäre Überzeugungen haften uns an, bis wir uns bewusst von ihnen lösen. Woher auch immer diese Überzeugungen kommen mögen, sie müssen aus Ihrem Bewusstsein verschwinden, wenn Sie zu Wohlstand gelangen möchten. In meinen Augen beginnt Wohlstand damit, dass Sie positiv über sich selbst denken. Es gehört auch die Freiheit dazu, zu tun, was Sie möchten und wann Sie möchten. Es ist niemals nur ein Geldbetrag, sondern eine Geisteshaltung. Wohlstand oder der Mangel daran ist ein äußerer Ausdruck der Gedanken, die Sie im Kopf haben.

Gutes verdienen

Wenn wir nicht den Gedanken akzeptieren, dass jeder von uns Wohlstand verdient, werden wir ihn sogar ablehnen, wenn er uns regelrecht in den Schoß fallen sollte, wie in dem folgenden Beispiel:

Einer meiner Seminarteilnehmer arbeitete daran, seinen Wohlstand zu vergrößern. Eines Abends kam er sehr fröhlich in den Kurs – gerade hatte er 500 $ gewonnen. Immer wieder sagte er: »Ich kann es nicht fassen! Sonst gewinne ich nie etwas.« Wir wussten, dass sich darin sein veränderter Bewusstseinszustand widerspiegelte. Doch er empfand

immer noch, dass er dieses Geld nicht wirklich verdiente. In der nächsten Woche konnte er nicht zum Kurs kommen, weil er sich ein Bein gebrochen hatte. Die Arztrechnung betrug exakt 500 $.

Er hatte Angst davor, sich in Richtung Wohlstand zu bewegen, weil er sich minderwertig fühlte, und das war seine Art, sich selbst zu bestrafen.

Gleichgültig, worauf wir uns konzentrieren, es wird wachsen. Daher sollten wir uns nicht auf Rechnungen konzentrieren. Wenn Sie sich auf Mangel und Schulden konzentrieren, dann werden Sie noch mehr Mangel und Schulden schaffen.

Im Universum existiert eine unerschöpfliche Versorgung. Fangen Sie an, sich dessen bewusst zu werden. Nehmen Sie sich die Zeit, in einer klaren Nacht die Sterne zu zählen, die Körner einer Handvoll Sand, die Blätter am Ast eines Baumes, die Regentropfen auf einer Fensterscheibe, die Samen in einer Tomate. Jeder Samen kann eine ganze Tomatenstaude mit unbegrenzt vielen Tomaten daran hervorbringen. Seien Sie dankbar für das, was Sie haben, und Sie werden feststellen, dass es mehr wird. Ich möchte alles mit Liebe segnen, was jetzt in meinem Leben vorhanden ist: mein Zuhause, die Heizung, Wasser, Licht, Telefon, Möbel, Installation, Geräte, Kleidung, Verkehrsmittel, berufliche Aufgaben, mein Geld, Freunde, meine Fähigkeit zu sehen, zu fühlen, zu berühren, zu schmecken, zu gehen und mich an diesem unglaublichen Planeten zu erfreuen.

Unser persönlicher Glaube an Mangel und Einengung ist unsere einzige Beschränkung. Und welche Überzeugung engt Sie ganz persönlich ein? Wollen Sie nur Geld haben, um anderen damit zu helfen? Damit sagen Sie, Sie selbst seien es nicht wert.

Seien Sie niemals abweisend gegenüber Wohlstand und Fülle. Nehmen Sie die Einladung eines Freundes zum Mittag- oder Abendessen mit Freude und Vergnügen an. Sie sollten den Umgang mit Menschen nicht als ein »Geschäft« empfinden. Wenn Sie ein Geschenk erhalten, nehmen Sie es wohlwollend an. Wenn Sie das Geschenk nicht behalten wollen, geben Sie es an einen anderen weiter. Lassen Sie die materiellen Dinge frei und großzügig durch Ihr Leben strömen. Lächeln Sie nur und sagen Sie: »Danke.« Auf diese Art und Weise geben Sie dem Universum zu verstehen, dass Sie bereit sind, Ihr Gutes zu empfangen.

Schaffen Sie Raum für Neues

Räumen Sie Ihren Kühlschrank auf, trennen Sie sich von all den Kleinigkeiten, die Sie in Frischhaltefolie eingepackt haben. Räumen Sie Ihre Schränke auf, trennen Sie sich von all den Sachen, die Sie im letzten halben Jahr oder länger nicht benutzt haben. Wenn Sie sie ein Jahr lang nicht benutzt haben, sollten Sie sie endgültig loswerden. Verkaufen Sie sie, tauschen Sie sie ein, verschenken oder verbrennen Sie sie.

Unordentliche Schränke bedeuten ein ungeordnetes Bewusstsein. Während Sie den Schrank aufräumen, sagen Sie zu sich selbst: »Ich bin jetzt dabei, die Schränke meines Bewusstseins aufzuräumen.« Das Universum liebt symbolische Handlungen.

Als ich das erste Mal von der Vorstellung »Die Fülle des Universums ist für jeden vorhanden« hörte, dachte ich, das sei zum Lachen.

»Sieh dir all die armen Leute an«, sagte ich zu mir. »Sieh dir deine eigene offensichtliche Armut an.« Es ärgerte mich, wenn ich hörte: »Deine Armut ist nur eine Überzeugung in

deinem Bewusstsein.« Ich brauchte viele Jahre, bis ich einsah und akzeptierte, dass ich allein für meinen fehlenden Wohlstand verantwortlich bin. Nach meiner Überzeugung war ich »minderwertig« und »verdiente nichts Gutes«. Ich war außerdem davon überzeugt, davon, dass »es sehr schwer ist, zu Geld zu kommen« und »ich keine Begabung oder Fähigkeiten besitze«. Das alles bewirkte, dass ich in einem Armuts-Denkmuster feststeckte.

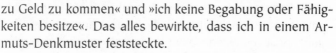

Es ist die einfachste Sache der Welt, Geld zu manifestieren! Wie reagieren Sie auf diese Behauptung? Glauben Sie sie? Ärgern Sie sich? Sind Sie unentschieden? Sind Sie drauf und dran, dieses Buch durchs Zimmer zu werfen? Wenn Sie auf diese Weise reagieren, *gut!* Ich habe etwas tief in Ihnen berührt, genau den Widerstandspunkt gegen die Wahrheit. Daran muss gearbeitet werden. Es ist für Sie an der Zeit, sich für die Möglichkeit zu öffnen, dass Geld und alle guten Dinge des Lebens endlich überreich in Ihr Leben strömen.

Lieben Sie Ihre Rechnungen

Es ist wesentlich, dass wir aufhören, uns über Geld Gedanken zu machen und uns über Rechnungen zu ärgern. Viele Menschen betrachten Rechnungen als Strafen, die man, wenn möglich, vermeiden sollte. Eine Rechnung ist die Anerkennung unserer Fähigkeit, zahlen zu können. Der Gläubiger nimmt an, dass Sie wohlhabend sind, und stellt Ihnen seinen Service oder zuerst sein Produkt zur Verfügung. Ich segne jede einzelne Rechnung, die in mein Haus kommt, mit Liebe. Ich segne jeden einzelnen Scheck, den ich ausstelle, mit Liebe und drücke einen kleinen Kuss darauf.

Wenn Sie mit Widerwillen bezahlen, wird es das Geld sehr schwer haben, zu Ihnen zurückzukehren. Wenn Sie mit Liebe und Freude bezahlen, öffnen Sie sich für den strömenden Fluss des Wohlergehens. Behandeln Sie Ihr Geld wie einen Freund, nicht wie etwas, was Sie in Ihre Tasche stopfen.

Ihre Sicherheit ist weder Ihr Beruf noch Ihr Bankkonto noch Ihre Geldanlagen noch Ihr Ehepartner oder Ihre Eltern. Ihre Sicherheit ist Ihre Fähigkeit, sich mit der kosmischen Macht zusammenzutun, die alles erschafft.

Ich meine, meine innere Kraft, die in meinem Körper pulsiert, ist dieselbe Kraft, die mich mit allem versorgt, was ich brauche. So einfach ist das. Das Universum ist verschwenderisch und überreich, und es ist unser Naturrecht, mit allem, was wir benötigen, versorgt zu werden, außer wir haben uns entschlossen, das Gegenteil zu glauben.

Jedes Mal, wenn ich mein Telefon benutze, segne ich es mit Liebe und erkläre oft, dass es mir nur Wohlstand und Sympathiebezeugungen übermittelt. Dasselbe mache ich mit meinem Briefkasten. Er ist jeden Tag randvoll mit Geld und Liebesbriefen jeglicher Art: Es schreiben Freunde, Klienten und Leser meines Buches, die weit entfernt leben. Über die Rechnungen freue ich mich und danke den Firmen, dass sie meiner Zahlungsfähigkeit vertrauen. Ich segne meine Türklingel und die Haustüre, weil ich weiß, dass in mein Haus nur Gutes kommt. Ich erwarte von meinem Leben, dass es gut und erfreulich verläuft, und so ist es dann auch.

Diese Ideen sind für alle Menschen von Nutzen

Ein Hochseefischer, der seine Geschäfte verbessern wollte, kam zu einem Gespräch über Wohlstand zu mir. Er meinte, er sei gut in seinem Beruf und wollte im Jahr 100 000 $ verdienen. Ich vermittelte ihm dieselben Gedanken, die ich

Ihnen vermittelt habe. Bald hatte er Geld, um sich teures chinesisches Porzellan zu kaufen. Und er konnte es sich nun leisten, viel Zeit zu Hause zu verbringen, wo er sich an der Schönheit seines stetig wachsenden Besitzes erfreute.

Freuen Sie sich am Glück anderer

Verzögern Sie Ihren eigenen Wohlstand nicht dadurch, dass Sie sich ärgern oder eifersüchtig werden, weil ein anderer mehr hat als Sie. Kritisieren Sie nicht die Art anderer, ihr Geld auszugeben. Es geht Sie nichts an.

Jeder Mensch gehorcht dem Gesetz seines Bewusstseins. Kümmern Sie sich ausschließlich um Ihre eigenen Gedanken. Segnen Sie das Glück anderer und seien Sie sich gewiss, dass immer mehr als genug für alle da ist.

Sind Sie ein Geizkragen? Sind Sie Toiletten-Personal gegenüber unfreundlich und geben kein Trinkgeld? Lassen Sie die Pförtner Ihres Büro- oder Apartmenthauses in der Weihnachtszeit links liegen? Sind Sie ein Pfennigfuchser, obwohl

Sie es nicht nötig haben, Gemüse oder Brot vom Vortag zu kaufen? Kaufen Sie immer in einem Billigladen oder bestellen Sie immer das billigste Essen auf der Speisekarte?

Es gibt ein Gesetz von »Angebot und Nachfrage«. Die Nachfrage kommt zuerst. Das Geld findet seinen Weg dorthin, wo es gebraucht wird. Auch die ärmste Familie bekommt fast immer das Geld für eine Beerdigung zusammen.

Visualisierung: Ein Ozean der Fülle

Ihr Bewusstsein für Wohlstand ist nicht vom Geld abhängig, sondern der Fluss des Geldes in Ihrem Leben ist von Ihrem Wohlstandsbewusstsein abhängig. Wenn Sie sich mehr Wohlstand vorstellen können, wird dieser auch mehr in Ihr Leben kommen.

Ich liebe die Vorstellung, am Strand zu stehen, über das weite Meer zu schauen und zu wissen, dass dieser Ozean der Fülle zu meiner Verfügung steht. Schauen Sie Ihre Hände an und stellen Sie fest, was für ein Behältnis Sie halten. Ist es ein Teelöffel, ein Fingerhut mit Loch, ein Pappbecher, ein Glas, ein Becher, eine Kanne, eine kleine Wanne oder haben Sie vielleicht eine mit diesem Ozean der Fülle verbundene Pipeline? Schauen Sie sich um und Sie werden feststellen, dass, ungeachtet der Vielzahl der Menschen und der Behältnisse, die sie haben, reichlich für jeden vorhanden ist. Sie können niemanden berauben und können auch nicht von anderen beraubt werden. Und es besteht keine Möglichkeit, den Ozean auszutrocknen. Ihr Behältnis ist Ihr Bewusstsein, und dies kann immer gegen ein größeres Behältnis ausgetauscht werden. Machen Sie diese Übung oft, damit Sie das Gefühl der Expansion und des unbegrenzten Nachschubs erhalten.

Öffnen Sie Ihre Arme

Ich setze mich mindestens einmal täglich mit ausgebreiteten Armen hin und sage: »Ich bin offen und empfänglich für alle Güter und die Überfülle des Universums.« Das vermittelt mir ein Gefühl der Ausdehnung und Empfangsbereitschaft.

Das Universum kann mir nur das zuteilen, was ich in meinem Bewusstsein habe. Aber in meinem Bewusstsein kann ich mir *immer mehr* schaffen. Es ist wie eine kosmische Bank. Ich tätige geistige Einzahlungen, indem ich mir meiner schöpferischen Fähigkeiten immer mehr bewusst werde. Meditationen, geistige Behandlungen und Affirmationen sind geistige Einzahlungen.

Es geht nicht bloß darum, mehr Geld zu besitzen. Wir wollen Freude am Geld haben. Erlauben Sie sich, Ihr Geld zu genießen? Wenn nicht, warum? Ein Teil Ihrer Einnahmen können Sie in reines Vergnügen investieren. Haben Sie sich in der letzten Woche von Ihrem Geld etwas Freude gegönnt? Warum nicht? Welche alte Überzeugung hält Sie zurück? Lösen Sie sich jetzt davon.

Man muss aus dem Geld keine ernste Sache machen. Betrachten Sie es mit dem nötigen Abstand. Geld ist ein Tauschmittel – mehr nicht. Was würden Sie gerne tun, was würden Sie gerne besitzen, wenn Sie kein Geld brauchten?

Wir sollten unsere althergebrachten Vorstellungen von Geld dringend überprüfen. Ich habe festgestellt, dass es einfacher ist, ein Seminar über Sexualität abzuhalten als eines über Geld. Die Menschen werden sehr ärgerlich, wenn ihre Ansichten über Geld infrage gestellt werden. Sogar Menschen, die in mein Seminar kommen und verzweifelt den Wunsch äußern, ein Leben mit mehr Geld führen zu wollen, werden ungehalten, wenn ich versuche, ihre einengenden Überzeugungen zu verändern.

»Ich bin bereit, mich zu verändern.« »Ich bin bereit, mich von früheren negativen Überzeugungen zu lösen.« Manchmal müssen wir sehr viel mit diesen beiden Affirmationen arbeiten, um den Raum zu schaffen, der für den Erwerb von Wohlstand notwendig ist.

Lösen Sie sich von der starren Fixierung auf bestimmte Einkommensgrenzen. Engen Sie das Universum nicht dadurch ein, dass Sie darauf bestehen, »*nur*« ein bestimmtes Gehalt oder Einkommen zu haben. Dieses Gehalt oder Einkommen ist ein *Kanal – keine Quelle*. Ihre Versorgung kommt nur von einer Quelle, dem Universum selbst.

Es gibt unendlich viele Kanäle. Ihnen müssen wir uns öffnen. Wir müssen bewusst akzeptieren, dass die Versorgung von überallher kommen kann. Wenn wir dann ein Zehncentstück bei einem Spaziergang auf der Straße finden, sagen wir »Danke!« zur Quelle. Es mag wenig sein, aber neue Kanäle fangen an, sich zu öffnen.

»Ich bin offen und empfänglich für neue Kanäle des Wohlstandes.«

»Ich empfange jetzt mein Gutes aus erwarteten und unerwarteten Quellen.«

»Ich bin ein unendliches Wesen, das aus unendlicher Quelle unendlich viel Gutes empfängt.«

Freuen Sie sich an den kleinen Neuanfängen

Wenn wir auf mehr Wohlstand hinarbeiten, gewinnen wir immer nur so viel hinzu, wie wir zu verdienen glauben. Eine Schriftstellerin arbeitete daran, ihr Einkommen zu erhöhen. Eine ihrer Affirmationen lautete: »Ich verdiene als Schriftstellerin gutes Geld.« Drei Tage später ging sie in eine Kaffeebar, in der sie oft frühstückte. Sie ließ sich in einer Nische nieder und breitete einige Seiten aus, an denen sie arbeitete. Der Geschäftsführer kam zu ihr und fragte: »Sie sind Schriftstellerin, stimmt's? Könnten Sie ein bisschen für mich schreiben?« Er brachte ihr dann mehrere kleine unbeschriebene Pappschildchen und fragte, ob sie »*Mittags-Special: Truthahn-Sandwich, $ 3,95*« darauf schreiben könnte. Als Gegenleistung bot er ihr ein Frühstück an.

Dieser kleine Vorfall zeigte an, dass in ihrem Denken positive Veränderungen begonnen hatten, und bald stellten sich auch neue berufliche Erfolge ein.

Sehen Sie Wohlstand

Fangen Sie an, überall Wohlstand wahrzunehmen, und freuen Sie sich daran. Der berühmte Reverend Ike aus New York erinnerte sich, wie er einst als armer Prediger an guten Restaurants, Häusern, Autos und Bekleidungsgeschäften vorbeiging und laut sagte: »Das ist für mich, das ist für mich.« Er-freuen Sie sich an extravaganten Häusern, Banken, eleganten Geschäften, Schaufenstern jeder Art – und auch Jachten. Erkennen Sie, dass dies alles Teil *Ihrer* Fülle ist; so erweitern Sie Ihr Bewusstsein, an diesen Dingen teilzuhaben, wenn Sie es möchten. Wenn Sie gut gekleidete Menschen sehen, denken Sie: »Ist es nicht wunderbar, so wohlhabend zu sein? Es ist mehr als genug für uns alle da.«

Wir wollen nicht den Besitz anderer. Wir wollen unseren *eigenen*.

Und dennoch besitzen wir nichts wirklich. Wir benutzen Besitztümer nur für eine gewisse Zeit, bis sie auf jemand anderen übergehen. Manchmal bleibt Besitz einige Generationen lang in einer Familie, aber letztendlich wird er weitergegeben. Es gibt einen natürlichen Rhythmus und Fluss des Lebens. Dinge kommen und gehen. Ich glaube, wenn etwas geht, macht es nur Platz für etwas Neues und Besseres.

Akzeptieren Sie Komplimente

So viele Menschen wollen reich sein und trotzdem akzeptieren sie kein Kompliment. Ich habe viele angehende Schauspieler und Schauspielerinnen getroffen, die ein »Star« werden wollen, aber sich fürchterlich schwertun, Komplimente anzunehmen.

Komplimente sind Geschenke des Wohlstands. Lernen Sie, sie wohlwollend zu akzeptieren. Meine Mutter brachte mir früh bei, zu lächeln und »Danke« zu sagen, wenn ich ein Kompliment oder ein Geschenk bekam. Das war in meinem Leben immer ein Vorteil.

Es ist sogar noch besser, das Kompliment zu akzeptieren und es zurückzugeben, sodass der Gebende sich so fühlt, als habe er oder sie ein Geschenk erhalten. Das ist eine wundervolle Art, den Fluss des Guten aufrechtzuerhalten.

Erfreuen Sie sich an dem reichen Geschenk, jeden Morgen aufzuwachen und einen neuen Tag zu erleben. Freuen Sie sich, am Leben und gesund zu sein, Freunde zu haben, schöpferisch und ein lebendiges Beispiel für Lebensfreude zu sein. Leben Sie so bewusst wie möglich. Erfreuen Sie sich an Ihrer fortwährenden Weiterentwicklung.

In der Unendlichkeit des Lebens,
dort, wo ich bin, ist alles heil und vollkommen.

✳

Ich bin eins mit der Macht, die mich erschaffen hat.

✳

Ich bin offen und empfangsbereit für den
überreichen Strom von Wohlstand,
den das Universum uns schenkt.

✳

Noch ehe ich darum bitte, wird meinen Bedürfnissen
und Wünschen entsprochen.

✳

Ich werde göttlich geleitet und beschützt und ich
treffe Entscheidungen, die für mich nützlich sind.

✳

Ich erfreue mich am Erfolg anderer,
wissend, dass mehr als genug für uns alle da ist.

✳

Beständig erweitere ich mein Bewusstsein
für die Fülle, was sich in einem stetig wachsenden
Einkommen widerspiegelt.

✳

Mein Gutes kommt von überallher zu mir.
Alles ist gut in meiner Welt.

14

Der Körper

Ich glaube, dass wir jede sogenannte »Krankheit« in unserem Körper selbst hervorrufen. Der Körper, wie alles andere im Leben, ist ein Spiegel innerer Gedanken und Überzeugungen.

Der Körper spricht immer zu uns, wenn wir uns nur die Zeit nehmen, ihm zuzuhören. Jede Zelle Ihres Körpers antwortet auf jeden einzelnen Gedanken, den Sie denken, und auf jedes Wort, das Sie sprechen.

Das, was wir den ganzen Tag denken und aussprechen, löst Reaktionen im Körper aus, beeinflusst unsere Körperhaltung und ruft Wohlsein oder Unwohlsein hervor. Wenn ein Mensch lauter Sorgenfalten im Gesicht hat, ist dies ganz sicher nicht auf fröhliche, liebevolle Gedanken zurückzuführen. Gesicht und Körper eines älteren Menschen zeigen sehr deutlich dessen lebenslange Gedankenmuster. Wie möchten Sie aussehen, wenn Sie älter sind?

Diesem Teil füge ich mein Verzeichnis über »geistige Muster« bei, die im Körper Krankheiten auslösen, sowie »neue Gedankenmuster« oder »Affirmationen«, die benutzt werden können, um sich eine gute Gesundheit zu erschaffen. Sie finden sie auch in meinem Buch *Heile Deinen Körper*. Zusätzlich zu dieser knappen Auflistung möchte ich nachfolgend einige der häufigeren Gesundheitsbeschwerden ausführlicher behandeln, um Ihnen einen Eindruck zu vermitteln, wie wir diese Probleme selbst erschaffen.

Nicht jede der aufgeführten geistigen Ursachen trifft bei jedem Menschen hundertprozentig zu. Wir bekommen aber einen Anhaltspunkt, an welcher Stelle wir bei unserer Suche nach der Krankheitsursache ansetzen können. Viele Praktiker auf dem Gebiet der alternativen Heilverfahren benutzen bei ihrer Arbeit mit den Patienten mein Buch *Heile Deinen Körper*. Sie haben herausgefunden, dass die geistigen Ursachen immerhin in 90 bis 95 Prozent der Fälle zutreffen.

✳

Der *Kopf* repräsentiert uns. Ihn zeigen wir der Welt. Er dient üblicherweise dazu, uns wiederzuerkennen. Erkrankungen im Kopfbereich bedeuten normalerweise, dass mit »uns« etwas nicht stimmt.

Die Haare repräsentieren Stärke. Wenn wir angespannt sind und Angst haben, bekommen wir oft diese stahlharten Muskeln, die in den Schultern beginnen und bis zur Schädeldecke und manchmal sogar bis rund um die Augen reichen. Der

Haarschaft wächst durch den Haarfollikel. Wenn die Kopfhaut sehr angespannt ist, wird der Haarschaft so zusam-
mengedrückt, dass das Haar nicht mehr atmen kann. Es
stirbt und fällt aus. Wenn die Spannung anhält, die Kopfhaut nicht entspannt wird, bleibt der Follikel verengt, sodass neues Haar nicht hindurchwachsen kann. Das Ergebnis ist Kahlköpfigkeit.

Kahlköpfigkeit bei Frauen hat zugenommen, seit sie vermehrt in die »Geschäftswelt« mit ihrer Anspannung und
Frustration einsteigen. Kahlköpfige Frauen fallen uns nicht
so auf, weil Damenperücken so natürlich und attraktiv sind.
Unglücklicherweise sind die meisten Herrentoupets immer
noch deutlich erkennbar, sogar aus größerer Entfernung.

Anspannung ist kein Zeichen von Stärke. Anspannung ist
Schwäche. Wer entspannt, gesammelt und friedvoll ist, bringt
damit wirkliche Stärke und Selbstsicherheit zum Ausdruck.
Es wäre gut für uns, unsere Körper besser zu entspannen.
Viele von uns müssten auch ihre Kopfhaut entspannen.
Versuchen Sie es jetzt. Sagen Sie Ihrer Kopfhaut, sie soll
entspannen, und fühlen Sie, ob Sie einen Unterschied be-
merken. Wenn Sie dabei feststellen, dass sich Ihre Kopfhaut
deutlich entspannt, dann empfehle ich Ihnen, diese kleine
Übung oft zu machen.

Die Ohren repräsentieren unsere Fähigkeit zu hören. Probleme mit den Ohren bedeuten normalerweise, dass es etwas gibt, was Sie nicht hören wollen. Ohrenschmerzen signalisieren, dass das Gehörte Ärger hervorruft.

Kinder leiden häufig unter Ohrenschmerzen. Sie müssen sich zu Hause oft Dinge anhören, die sie nicht wirklich hören wollen. Die familiären Regeln erlauben es einem Kind oft nicht, seinem Ärger Ausdruck zu verleihen, und die kindliche Unfähigkeit, Dinge zu verändern, ruft Ohrenschmerzen hervor.

Taubheit repräsentiert eine lang anhaltende Weigerung, jemandem zuzuhören. Sie werden feststellen, dass in Beziehungen, wo ein Partner einen Hörschaden hat, der andere oft redet und redet und redet.

Die Augen repräsentieren die Fähigkeit zu sehen. Wenn es Probleme mit den Augen gibt, bedeutet das normalerweise, dass es etwas gibt, was wir entweder auf uns selbst oder das Leben, die Vergangenheit, Gegenwart oder Zukunft bezogen nicht sehen wollen.

Jedes Mal, wenn ich kleine Kinder mit Brille sehe, weiß ich, dass es Umstände in ihrer Familie gibt, die sie nicht sehen wollen.

Wenn sie das Erlebte nicht ändern können, werden sie ihre Sehschärfe undeutlich einstellen, damit sie es nicht so deutlich sehen müssen.

Viele Menschen hatten erstaunliche Heilerlebnisse, nachdem sie willens wurden, sich in die Vergangenheit zurückzuversetzen und mit dem aufzuräumen, was sie, ein, zwei Jahre bevor sie damit anfingen, Brillen zu tragen, nicht sehen wollten.

Lehnen Sie das, was im Augenblick geschieht, ab? Welcher Angelegenheit wollen Sie nicht ins Auge sehen? Haben Sie Angst, die Gegenwart oder Zukunft zu sehen? Wenn Sie

klar sehen könnten, was würden Sie sehen, was Sie jetzt nicht sehen? Können Sie sehen, was Sie sich antun?

Sich diese Fragen zu stellen kann sehr aufschlussreich sein.

Kopfschmerzen entstehen, wenn wir unser Selbst nicht achten. Wenn Sie das nächste Mal Kopfschmerzen bekommen, halten Sie inne und fragen Sie sich, wo und wie Sie sich gerade selbst ein Unrecht getan haben. Vergeben Sie sich, lassen Sie davon ab, und der Kopfschmerz wird sich in das Nichts auflösen, aus dem er gekommen ist.

Migräne bekommen Leute, die perfekt sein wollen und sich selbst unter Druck setzen. Migräne bedeutet, dass Sie eine Menge unterdrückte Wut mit sich herumtragen. Interessanterweise kann man Migräne durch Masturbation lindern, wenn Sie damit beginnen, sobald Sie die Migräne spüren. Die sexuelle Entspannung löst die Angespanntheit und den Schmerz. Möglicherweise ist Ihnen dann gar nicht nach Masturbation zumute, aber es ist sicher einen Versuch wert. Sie können nichts dabei verlieren.

Nasennebenhöhlen-Beschwerden drücken das Gefühl aus, sich durch jemanden in Ihrem Leben gestört zu fühlen, durch jemanden, der Ihnen nahesteht. Sie könnten sogar den Eindruck haben, dieser Jemand übe Druck auf Sie aus.

Wir vergessen, dass wir selbst die Situation verursachen; dann geben wir unsere Macht weg, indem wir anderen die Schuld an unseren Frustrationen geben. Kein Mensch, kein Ort und keine Sache hat irgendeine Macht über uns, denn »wir« sind in unserem Geist die einzigen Denker. Wir erschaffen unsere Erfahrungen, unsere Wirklichkeit und alle, die dazugehören. Wenn wir in unserem Denken Frieden, Harmonie und Ausgeglichenheit erzeugen, werden wir sie auch in unserem Leben finden.

Nacken und Hals faszinieren, weil an diesen Stellen so viel geschieht. Der Nacken repräsentiert die Fähigkeit, in unserem Denken flexibel zu sein, auch die andere Seite einer Frage zu sehen und den Standpunkt eines anderen Menschen zu betrachten. Wenn Schwierigkeiten mit dem Nacken auftreten, bedeutet das normalerweise, dass wir stur an unserer Vorstellung von einer bestimmten Situation festgehalten haben.

Jedes Mal, wenn ich sehe, dass jemand eine dieser »Halskrausen« trägt, weiß ich, dass dieser Mensch sehr selbstge-

recht und stur daran festgehalten hat, nicht auch die Kehrseite einer Frage betrachtet zu haben. Virginia Satir, eine brillante Familientherapeutin, sagt, dass sie eine »alberne Untersuchung« durchgeführt hat und herausfand, dass es mehr als 250 verschiedene Arten gibt, Geschirr zu spülen. Es wurde dabei berücksichtigt, wer abwäscht und welche Mittel beim Geschirrspülen verwendet werden. Wenn wir verbohrt daran festhalten, dass es nur »eine Art« und nur »einen Standpunkt« gibt, dann schließen wir einen Großteil des Lebens aus.

Der Hals repräsentiert unsere Fähigkeit, für »uns selbst zu sprechen«, »um das zu bitten, was wir haben möchten«, zu sagen, »ich bin« usw. Wenn wir Hals-probleme haben, bedeutet es norma-lerweise, dass wir empfinden, keinen Anspruch auf diese Dinge zu haben. Wir empfinden, nicht in der Lage zu sein, für uns selbst geradezustehen.

Halsschmerzen bedeuten immer Ärger. Wenn eine Erkäl-tung mit im Spiel ist, dann ist auch eine Bewusstseinsstö-rung dabei. Eine Kehlkopfentzündung bedeutet normaler-weise so großen Ärger, dass Sie nicht sprechen können.

Der Hals repräsentiert außerdem den schöpferischen Fluss unseres Körpers. Hier verleihen wir unserer Kreativität Aus-druck, und wenn unsere Kreativität unterdrückt oder zu-nichtegemacht wurde, bekommen wir oft Halsprobleme. Wir alle kennen viele Menschen, die ihr ganzes Leben lang nur für andere leben. Sie bekommen kaum einmal die Gelegen-heit, das zu tun, was sie selbst tun möchten. Sie sind immer nur dienstbare Mütter/Väter/Ehepartner/Liebhaber/Vor-gesetzte. Mandelentzündung sowie Schwierigkeiten mit der Schilddrüse bedeuten einfach frustrierte Kreativität, d.h. nicht in der Lage zu sein, das zu tun, was man tun möchte.

Das Energiezentrum im Hals, das fünfte Chakra, ist die Stelle im Körper, wo Veränderungen stattfinden. Wenn wir einer Veränderung mit Widerstand begegnen oder uns mit-ten in der Veränderung befinden oder versuchen, uns zu verändern, befindet sich unser Hals in voller Aktion. Achten

Sie darauf, wenn Sie oder ein anderer hustet. Was wurde gerade gesagt? Worauf reagieren wir? Ist es Widerstand und Sturheit oder ist es die stattfindende Veränderung? In meinen Seminaren benutze ich den Husten als Werkzeug zur Selbstentdeckung. Jedes Mal, wenn jemand hustet, bitte ich denjenigen, anschließend seinen Hals zu berühren und laut zu sagen: »Ich bin gewillt, mich zu verändern.« Oder: »Ich verändere mich.«

Die Arme repräsentieren unsere Fähigkeit und unser Leistungsvermögen, die Lebenserfahrungen zu umfassen. Die Oberarme haben mit unserem Leistungsvermögen, die Unterarme mit unseren Fähigkeiten zu tun. Wir lagern frühere Gefühle in unseren Gelenken ab. Unsere Ellbogen repräsentieren unsere Flexibilität zu Richtungsänderungen. Sind Sie so flexibel, eine Richtungsänderung in Ihrem Leben vorzunehmen, oder verharren Sie aufgrund früherer Gefühle an einem Fleck?

Die Hände greifen, Hände halten, Hände drücken. Wir lassen Dinge durch unsere Finger gleiten. Manchmal halten wir etwas zu lange. Wir sind geschickt, knauserig, freigebig, geizig, ungeschickt. Wir geben Almosen. Wir haben uns im Griff oder nicht.

Wir packen etwas an. Wir geben jemandem die Hand, wir gehen Hand in Hand, wir werden handgreiflich, etwas ist unhandlich oder nimmt überhand.

Hände können zart sein oder hart mit knotigen Knöcheln, das kommt vom vielen Denken, oder arthritisch verknöchert,

234

verursacht durch Kritik. Verkrampft festhaltende Hände entstehen durch Angst, Angst vor dem Verlust, Angst, nie genug zu haben, Angst, dass etwas nicht bleibt, obwohl Sie es festhalten.

Wenn man sich in einer Beziehung zu sehr am anderen festklammert, bewirkt das nur, dass der Partner verzweifelt davonläuft. Zusammengepresste Hände können nichts Neues anfassen. Freies Händeschütteln aus dem Handgelenk heraus vermittelt ein Gefühl von Lockerheit und Offenheit.

Was Ihnen gehört, kann Ihnen nicht genommen werden. Also entspannen Sie.

Die Finger: Jeder hat seine Bedeutung. Probleme mit den Fingern zeigen, wo Sie entspannen müssen und wovon Sie sich lösen müssen. Wenn Sie sich in den Zeigefinger schneiden, haben Sie vermutlich Ärger oder Angst, etwas, was mit Ihrem Selbst in einer aktuellen Situation zu tun hat. Der Daumen ist Bewusstsein und repräsentiert Sorge. Der Zeigefinger ist Ego und Angst. Der Mittelfinger hat mit Sexualität und auch mit Ärger zu  tun. Wenn Sie Ärger haben, halten Sie Ihren Mittelfinger fest und beobachten Sie, wie sich der Ärger auflöst. Halten Sie den rechten Finger, wenn sich Ihr Ärger auf einen Mann, und den linken, wenn er sich auf eine Frau bezieht. Der Ringfinger bedeutet sowohl Eintracht als auch Kummer. Der kleine Finger hat mit Familie und Heuchelei zu tun.

Der Rücken repräsentiert unser Unterstützungssystem. Rückenprobleme bedeuten normalerweise, dass wir uns zu wenig unterstützt fühlen. Wir denken zu oft, dass wir nur durch unseren Beruf, unsere Familie oder unseren Ehepartner unterstützt werden. In Wirklichkeit werden wir vollständig vom Universum, dem Leben selbst, unterstützt.

Der obere Teil des Rückens hat mit dem Gefühl unzureichender emotionaler Unterstützung zu tun. Mein Mann/meine Frau/mein Freund/Chef versteht mich oder unterstützt mich nicht.

Der mittlere Teil des Rückens hat mit Schuld zu tun. Mit allem, was im Verborgenen liegt. Haben Sie Angst davor, dem Verborgenen ins Auge zu sehen, oder halten Sie es absichtlich verborgen?

Oder meinen Sie, hinterrücks erdolcht zu werden?

Fühlen Sie sich richtig »pleite«? Sind Ihre Finanzen völlig durcheinander? Oder machen Sie sich darüber übertriebene Sorgen? Dann macht Ihnen wahrscheinlich der untere Teil Ihres Rückens Schwierigkeiten. Geldmangel oder die Angst vor dem Geld sind die Ursachen. Über wie viel Geld Sie real verfügen, spielt dabei keine wirkliche Rolle. Viele von uns meinen, dass Geld die wichtigste Sache in unserem Leben ist und dass wir ohne es nicht leben könnten. Das stimmt nicht. Es gibt etwas viel Wichtigeres und Wertvolleres für uns. Wir könnten ohne dieses nicht leben. Was ist das? Es ist unser Atem.

Unser Atem ist für unser Leben der wertvollste Bestandteil. Wir nehmen es jedoch als völlig selbstverständlich hin, dass nach dem Ausatmen das nächste Einatmen stattfinden wird. Wenn wir nicht wieder einatmen würden, würden wir keine drei Minuten aushalten. Wenn die Macht, die uns geschaffen hat, uns genügend Atem gegeben hat, damit wir unser Leben lang existieren können, können wir nicht darauf vertrauen, dass alles andere, was wir brauchen, auch bereitgestellt wird?

Die Lunge repräsentiert die Fähigkeit, Leben anzunehmen und zu geben. Lungenprobleme bedeuten normalerweise, dass wir Angst davor haben, Leben anzunehmen, oder wir haben vielleicht das Gefühl, nicht das Recht zu haben, uns auszuleben.

Frauen haben immer schon flach geatmet. Sie haben sich als Bürger zweiter Klasse betrachtet, die nicht das Recht hatten, eigenen Raum für sich zu beanspruchen, und manchmal nicht einmal das Recht zu leben. Heutzutage hat sich das alles geändert. Frauen nehmen ihren Platz als vollwertige Mitglieder der Gesellschaft ein und atmen tief und voll.

Es macht mir Spaß, Sport treibende Frauen zu sehen. Frauen haben immer Feldarbeit verrichtet, aber soweit ich weiß, ist dies das erste Mal in der Geschichte, dass Frauen am Sport teilnehmen. Es ist toll, die herrlichen Körper zu sehen, die dabei in Erscheinung treten.

Emphyseme und starkes Rauchen sind lebensverneinend. Sie verschleiern ein tiefes Gefühl, vollständig lebensunwert zu sein. Schimpfen wird den Gewohnheitsraucher sicher nicht verändern. Zuerst muss die zugrunde liegende Überzeugung verändert werden.

Die Brust repräsentiert das Prinzip der Mütterlichkeit. Wenn Brustprobleme auftauchen, bedeutet das normalerweise, dass wir einen Menschen, einen Ort, eine Sache oder eine Erfahrung übermäßig »bemuttern«.

Teil der mütterlichen Aufgabe ist es, dem Kind das Erwachsenwerden zuzugestehen. Wir müssen wissen, wann wir unsere Finger aus dem Spiel lassen sollten, wann wir die Zügel weiterreichen und die Kinder sich selbst überlassen sollten. Wenn wir uns allzu beschützend verhalten, lernen Kinder nicht, mit ihren eigenen Erfahrungen zurechtzukommen. In manchen Situationen schneidet im wahrsten Sinne des Wortes unser kontrollierendes Verhalten den anderen ihre Nahrungszufuhr ab.

Wenn Krebs im Spiel ist, dann ist auch tief sitzende Verbitterung vorhanden. Lösen Sie sich von der Angst und erkennen Sie, dass jedem von uns die Vernunft des Universums innewohnt.

Das Herz repräsentiert natürlich Liebe, wohingegen das Blut Freude repräsentiert. Unsere Herzen pumpen liebend gern Freude durch unsere Körper. Wenn wir uns selbst Freude und Liebe versagen, verkümmert unser Herz und wird kalt. Als Ergebnis wird unser Blut zähflüssig, und wir bewegen uns langsam auf Anämie, Angina pectoris und Herzattacken hin.

Das Herz »attackiert« uns nicht. Wir reiben uns an unseren selbst erschaffenen Dramen auf und vergessen dabei oft, die kleinen Freuden in unserem Leben zu bemerken. Wir verbringen Jahre damit, alle Freude aus unserem Herzen herauszupressen, und dann windet es sich regelrecht vor Schmerzen. Menschen, die Herzanfälle bekommen, sind niemals fröhliche Menschen. Wenn sie sich nicht die Zeit

nehmen, die Freuden des Lebens zu genießen, werden sie sich nach gewisser Zeit wieder einen Herzanfall zuziehen.

Gutherzig, kaltherzig, warmherzig, offenherzig, ein böses Herz, ein liebendes Herz – wie ist Ihr Herz?

Der Magen verdaut alle neuen Gedanken und Erfahrungen, die wir machen. Was oder wen können Sie nicht vertragen? Was liegt Ihnen schwer im Magen?

Wenn Magenprobleme entstehen, bedeutet das normalerweise, dass wir nicht wissen, wie wir uns den neuen Erfahrungen anpassen sollen. Wir haben Angst.

Einige unter uns können sich noch an die Frühzeit des zivilen Flugverkehrs erinnern. Dass wir in eine dicke Metallröhre einsteigen konnten, die uns sicher durch den Himmel beförderte, war ein neuer Gedanke, an den wir uns erst allmählich gewöhnten.

An jedem Sitz waren Spucktüten befestigt, und die meisten von uns benutzten sie. Wir erbrachen so diskret wie möglich in die Spucktüten, schnürten sie zusammen und reichten sie der Stewardess, die viel Zeit damit verbrachte, den Gang auf und ab zu laufen, um sie einzusammeln.

Seitdem sind viele Jahre vergangen, und obwohl die Tüten immer noch hinter jedem Sitz klemmen, werden sie selten benutzt. Wir haben uns an den Gedanken, zu fliegen, gewöhnt.

Magengeschwüre sind nichts anderes als Angst; enorme Angst davor, »nicht gut genug zu sein«. Wir haben Angst davor, unseren Eltern nicht gut genug zu sein, für einen Chef nicht gut genug zu sein. Wir können nicht verdauen, wer wir sind. Wir zerreißen uns innerlich, um anderen möglicher-

239

weise zu gefallen. Wie wichtig unser Beruf auch immer sein mag, unser inneres Selbstwertgefühl ist sehr gering. Wir haben Angst, dass das entdeckt werden könnte.

Hier ist die Antwort: Liebe. Menschen, die sich lieben und sich anerkennen, haben niemals Magengeschwüre. Seien Sie sanft und liebevoll mit dem Kind in Ihnen und geben Sie ihm all die Unterstützung und Ermutigung, die Sie sich gewünscht haben, als Sie klein waren.

Die Genitalien repräsentieren den weiblichsten Teil einer Frau, ihre Weiblichkeit, oder den männlichsten Teil eines Mannes, seine Männlichkeit; unser männliches oder weibliches Prinzip.

Wir haben oft Schwierigkeiten im Genitalbereich, wenn wir uns nicht wohlfühlen, Mann oder Frau zu sein, wenn wir unsere Sexualität zurückweisen oder wenn wir unsere Körper als schmutzig und sündig ablehnen.

Ich begegne selten einem Menschen, der in einer Familie groß geworden ist, in der die Genitalien und ihre Funktionen bei ihren richtigen Namen genannt wurden. Wir sind alle mit diesen oder jenen Beschönigungen aufgewachsen. Erinnern Sie sich an die Ihrer Familie? Es reichte vielleicht von milden Ausdrücken wie »da unten« bis zu Namen, die Ihnen ein Gefühl vermittelten, dass Ihre Genitalien schmutzig und abstoßend sind. Ja, wir sind alle in dem Glauben groß geworden, dass zwischen unseren Beinen etwas nicht ganz in Ordnung ist.

Ich meine, dass die sexuelle Revolution, die vor einigen Jahren explodierte, in einer Hinsicht eine gute Sache war. Plötzlich war es in Ordnung, viele Partner zu haben, und Männer wie Frauen konnten Affären für eine Nacht haben. Außereheliche Beziehungen wurden offener. Viele von uns fingen an, das Vergnügen und die Freiheit unserer Körper auf offene und neue Art zu genießen. Trotzdem haben nur wenige von uns sich mit dem befasst, was von Roza Lamont, Gründerin des Instituts für Selbstkommunikation, als »Mamas Gott« bezeichnet wird. Was immer Ihre Mutter Ihnen im Alter von drei Jahren über Gott beigebracht hat, befindet sich noch immer in Ihrem Unterbewusstsein, *außer* Sie haben bewusst daran gearbeitet, sich davon zu lösen. War dieser Gott ein ärgerlicher, rächender Gott? Was glaubte dieser Gott über Sex? Wenn wir noch immer diese frühen Schuldgefühle über unsere Sexualität und unseren Körper mit uns herumtragen, dann werden wir den Drang haben, uns selbst zu bestrafen.

Blasen- und *Analprobleme*, *Vaginitis*, *Prostata-* und *Penisprobleme* gehören alle in diesen Bereich. Sie stammen von verdrehten Vorstellungen von unserem Körper und der Richtigkeit seiner Funktionen.

Jedes Organ mit seinen eigenen, besonderen Funktionen in unserem Körper ist ein großartiger Ausdruck des Lebens. Wir halten unsere Leber oder unsere Augen nicht für schmutzig oder sündig. Warum glauben wir das dann über unsere Genitalien?

Der After ist genauso wunderbar wie das Ohr. Ohne unseren After hätten wir keine Möglichkeit, uns von dem, was der Körper nicht mehr benötigt, zu trennen, und wir würden ziemlich rasch sterben. Jeder Teil unseres Körpers und jede Funktion unseres Körpers ist vollkommen, natürlich und wunderbar.

Ich bitte Patienten, die sexuelle Schwierigkeiten haben, ein liebevolles Verhältnis zu ihrem Rektum, ihrem Penis oder ihrer Vagina herzustellen und deren Funktionen und deren Schönheit zu schätzen. Wenn Sie sich winden oder zornig werden, während Sie das lesen, stellen Sie sich selbst die Frage: Warum? Wer hat Ihnen gesagt, irgendeinen Teil Ihres Körpers abzulehnen? Sicher nicht Gott. Unsere Geschlechtsorgane sind die erfreulichsten Teile unseres Körpers und dafür geschaffen, uns Vergnügen zu bereiten. Wer dies ablehnt, schafft Schmerz und Strafe. Sex ist für uns so normal wie Atmen oder Essen. Versuchen Sie sich nur für einen Moment die Weite des Universums vorzustellen. Sie ist außerhalb unseres Vorstellungsvermögens. Auch unsere besten Wissenschaftler mit ihren neuesten Geräten können seine Größe nicht ermessen. Innerhalb dieses Universums gibt es viele Galaxien.

In einer der kleineren unter diesen Galaxien, in einer entlegenen Ecke, gibt es eine eher kleine Sonne. Um diese Sonne kreisen ein paar Stecknadelköpfe, von denen einer Planet Erde genannt wird. Es fällt mir schwer zu glauben, dass diese grenzenlos weite, unglaubliche Intelligenz, die das gesamte Universum geschaffen hat, nichts weiter sein soll als ein alter Mann, der auf einer Wolke über dem Planeten Erde

sitzt... und meine Genitalien beobachtet!

Trotzdem wurde vielen von uns
in der Kindheit diese Vorstellung
vermittelt.

Es ist lebenswichtig, dass wir uns
von dummen, veralteten Gedanken
lösen, die uns nicht unterstützen oder
Kraft geben. Ich empfinde stark, dass sogar
unsere Vorstellung von Gott *für uns* und nicht gegen uns
sein sollte. Wir können zwischen so vielen verschiedenen
Religionen wählen. Wenn Sie gegenwärtig an eine glauben,
die Ihnen sagt, Sie seien ein Sünder und gemeiner Wurm,
dann suchen Sie sich lieber eine andere.

Ich plädiere nicht dafür, dass jeder herumlaufen und die
ganze Zeit freien Sex haben sollte. Ich sage aber, dass manche unserer Regeln nicht sinnvoll sind, und deswegen ver-
stoßen viele Menschen heimlich dagegen und werden zu
Heuchlern.

Wenn wir den Menschen die sexuellen Schuldgefühle nehmen und ihnen beibringen, sich zu lieben und zu respektieren, dann werden sie sich und andere von alleine so behandeln, dass es zu ihrem eigenen Besten und zu ihrer größten
Freude ist. Wir haben so viele sexuelle Schwierigkeiten, weil
viele von uns sich selbst hassen und sich selbst zuwider
sind. Deswegen behandeln wir uns und andere schlecht.

Es genügt nicht, den Kindern in der Schule die Mechanik der Sexualität beizubringen. Wir sollten ihnen unbedingt vermitteln, dass ihr Körper, ihre Genitalien und ihre Sexualität etwas sind, an dem sie Freude haben können. Ich glaube aufrichtig, dass Menschen, die sich selbst und ihre Körper lieben, weder sich noch andere missbrauchen.

Ich meine, dass die meisten *Blasenprobleme* normalerweise daher kommen, dass man stocksauer auf einen Partner ist. Etwas, was mit unserer Weiblichkeit oder unserer Männlichkeit zu tun hat, ärgert uns. Frauen haben häufiger Blasenprobleme als Männer, weil sie eher dazu neigen, ihre Verletzlichkeit zu verbergen.

Vaginitis beinhaltet also normalerweise, dass man sein romantisches Empfinden durch einen Partner verletzt sieht. Die *Prostatabeschwerden* der Männer haben viel mit Minderwertigkeitsgefühlen zu tun und mit der Überzeugung, dass mit zunehmendem Alter die »Männlichkeit« dahinschwindet. *Impotenz* erhöht die Angst und wird manchmal sogar auf Hass gegen eine frühere Freundin zurückgeführt. *Frigidität* entsteht durch Angst oder die Überzeugung, dass es falsch ist, sich seines Körpers zu erfreuen. Sie entsteht auch durch Selbstabscheu und kann durch einen unsensiblen Partner verstärkt werden.

PMS, das *prämenstruelle Syndrom,* hat epidemische Ausmaße erreicht und geht einher mit der enormen Zunahme der Werbung. Diese Werbung hämmert die Vorstellung in die Wohnzimmer hinein, dass der weibliche Körper auf unzählige Arten eingesprayt, gepudert, geduscht und im Übermaß gereinigt sein muss, damit er einigermaßen akzeptabel ist. Zwar hat die Gleichberechtigung der Frauen große

Fortschritte gemacht, aber andererseits werden sie mit der destruktiven Idee bombardiert, dass die natürliche weibliche Körperlichkeit ziemlich problematisch ist. Diese Botschaften in Verbindung mit den enormen Zuckermengen, die heutzutage verzehrt werden, schaffen einen fruchtbaren Nährboden für PMS.

Alle weiblichen Vorgänge, Menstruation und Menopause eingeschlossen, sind normale, natürliche Vorgänge. Wir müs-

sen sie als solche akzeptieren. Unsere Körper sind wunderschön, großartig und wunderbar.

Nach meiner Überzeugung ist jede *Geschlechtskrankheit* fast immer auf sexuelle Schuldgefühle zurückzuführen. Sie entstehen oft durch das unterbewusste Gefühl, es sei nicht richtig, seine Sexualität zum Ausdruck zu bringen. Ein von einer Geschlechtskrankheit Infizierter kann viele Partner haben, aber nur diejenigen, deren geistiges und physisches Immunsystem geschwächt ist, werden dafür anfällig sein. Zusätzlich zu den früheren traditionellen Krankheiten ist es bei der heterosexuellen Bevölkerung in jüngster Zeit zu einer Zunahme von *Herpes* gekommen. Diese Krankheit kommt immer wieder, um uns zu »bestrafen« für unsere Überzeugung, dass wir »schlecht« sind. Herpesausschläge neigen dazu, bei gefühlsmäßigem Ungleichgewicht auszubrechen. Das ist nun doch sehr aufschlussreich!

Jetzt wollen wir diese Theorie auf die Gruppe der Homosexuellen übertragen, wo man dieselben Probleme wie überall hat, dazu das Problem der Gesellschaft, die mit dem Finger auf die Homosexuellen zeigt und sagt: »Schlecht!« Normalerweise sagen selbst ihre eigenen Mütter und Väter zu ihnen: »Du bist schlecht.« An dieser Last tragen die Betroffenen schwer, und es ist sehr schwer, sich unter solchen Umständen selbst zu lieben. Da überrascht es nicht, dass Homosexuelle unter den Ersten waren, die an der Furcht-Krankheit Aids erkrankten.

Viele Frauen in der heterosexuellen Gesellschaft haben Angst davor, alt zu werden, wegen der Überzeugungssysteme, die wir um den Glanz der Jugend aufgebaut haben. Für Männer ist das Altern allerdings nicht so schwierig, weil etwas graues Haar bei Ihnen durchaus als distinguiert und attraktiv wahrgenommen wird. Der ältere Mann erntet häufig Respekt, und viele Menschen schauen sogar auf zu ihm.

Dies trifft auf die meisten homosexuellen Männer nicht zu, denn sie haben sich eine Kultur geschaffen, die ein enormes Gewicht auf Jugend und Schönheit legt. Aber auch von den jungen Männern schaffen es nur wenige, den in der Szene geltenden Schönheitsmaßstäben zu genügen. Es wurde so großes Gewicht auf die physische Erscheinung des Körpers gelegt, dass die inneren Gefühle völlig außer Acht gelassen wurden. Wenn man nicht jung und schön ist, ist es fast so, als zählte man nicht. Nicht der Mensch zählt, sondern nur der Körper.

Diese Denkart ist eine Schande für die gesamte Kultur. Es ist eine andere Art zu sagen: »Homosexuell zu sein ist nicht gut genug.«

Wegen der Art und Weise, wie Homosexuelle miteinander umgehen, fürchten sich viele homosexuelle Männer vor dem Altwerden. Sterben scheint ihnen dann fast besser zu sein, als alt zu werden. Und Aids ist eine oft tödliche Krankheit.

Homosexuelle Männer haben häufig das Gefühl, nutzlos und unerwünscht zu sein, wenn sie älter werden. Da scheint es dann fast besser zu sein, sich vorher selbst zu zerstören, und viele haben daher einen destruktiven Lebensstil entwickelt. Manche Vorstellungen und Verhaltensweisen, die Teil des homosexuellen Lebensstils sind – die »Fleischbeschau« (Meat Rack), das ständige Beurteilen des eigenen und anderer Körper, die Verweigerung wirklicher Intimität – sind monströs. Und Aids ist eine monströse Krankheit.

Diese Denkweisen und Verhaltensmuster erzeugen auf einer sehr tiefen Ebene zwangsläufig Schuldgefühle, gleichgültig, wie häufig wir den Partner wechseln. Ständiger Partnerwechsel kann sehr viel Spaß machen, kann aber auch außerordentlich zerstörerisch sein – für die Gebenden und die Nehmenden. Camping ist eine weitere Art, Nähe und Intimität zu vermeiden.

Ich will damit keine Schuldgefühle erzeugen. Wir müssen uns jedoch die Dinge anschauen, die verändert werden sollten, damit wir alle ein Leben in Liebe, Freude und Respekt führen können. Vor fünfzig Jahren mussten fast alle homosexuellen Männer ein Leben im Verborgenen führen. Inzwischen konnten sie sich Nischen in der Gesellschaft schaffen, wo sie wenigstens einigermaßen offen sein können. Ich empfinde es als Unglück, dass vieles von dem, was sie erschaffen haben, ihren homosexuellen Brüdern so viel Kummer bereitet. Zwar ist es beklagenswert, wie Heterosexuelle

Homosexuelle behandeln, wie jedoch viele Homosexuelle andere Homosexuelle behandeln, ist wirklich tragisch.

Männer hatten schon immer mehr sexuelle Partner als Frauen; und wenn Männer zusammenfinden, wird es natürlich auch mehr Sex geben. Das ist alles schön und gut. Die Saunen erfüllen einen wunderbaren Zweck, außer wir leben unsere Sexualität aus den falschen Gründen aus. Einigen Männern macht es Spaß, viele Partner zu haben, um ihr tiefes Bedürfnis nach Selbstbestätigung zu befriedigen, und weniger wegen der Freude am Sex. Ich glaube nicht, dass es in irgendeiner Weise falsch ist, mehrere Partner zu haben, und der *gelegentliche* Gebrauch von Alkohol und manchen belebenden Drogen ist in Ordnung. Wenn wir uns aber jeden Abend bis zur Besinnungslosigkeit unter Drogen setzen und täglich mehrere Partner haben »müssen«, nur um unseren Selbstwert zu beweisen, dann tut das weder uns selbst noch den anderen gut. Wir sollten also einige Veränderungen im Bewusstsein vornehmen.

Heute ist eine Zeit des Heilens und der Ganzheitlichkeit, nicht des Verurteilens und Verdammens. Wir müssen uns aus den Grenzen der Vergangenheit erheben. Wir alle sind göttliche, großartige Manifestationen des Lebens. Besinnen wir uns jetzt gemeinsam darauf und beanspruchen wir es für uns!

Der Darm repräsentiert die Fähigkeit, uns von etwas zu trennen, uns von dem zu befreien, was wir nicht mehr benötigen. Der Körper benötigt, damit er sich im vollkommenen Rhythmus des Lebensstromes befindet, eine Ausgeglichenheit von Nahrungsaufnahme, Assimilation und Ausscheidung. Nur unsere Ängste blockieren den Prozess, sich von Vergangenem zu befreien.

Auch wenn Menschen, die an Verstopfung leiden, nicht wirklich geizig sind, glauben sie jedoch normalerweise nicht, jemals genug zu haben. Sie halten an früheren Beziehungen fest, die ihnen wehtun. Sie haben Angst, alte Kleidung, die jahrelang im Schrank hing, wegzuwerfen, weil sie sie vielleicht eines Tages brauchen könnten. Sie bleiben an einer erdrückenden Arbeitsstelle oder gönnen sich niemals irgendein Vergnügen, weil sie glauben, für Notzeiten sparen zu müssen. Wir stöbern auch nicht in den Abfällen des vorigen Abends herum, um unser Essen für heute zu finden. Lernen Sie, dem Lebensvorgang zu vertrauen. Er wird Ihnen immer bringen, was Sie benötigen.

Unsere *Beine* tragen uns vorwärts im Leben. Beinprobleme zeigen oft eine Angst an, sich vorwärts zu bewegen, oder eine Abneigung, sich in einer bestimmten Richtung zu bewegen. Wir rennen mit unseren Beinen, wir lassen die Beine schlurfen, wir schleichen, wir haben X-Beine, wir laufen über den großen Zeh; und wir haben kräftige, dicke Oberschenkel, die mit Kindheitsverdruss angefüllt sind. Der Unwille, etwas zu tun, wird oft kleinere Beinprobleme verursachen. *Krampfadern* repräsentieren das Ausharren an einem Arbeitsplatz oder an einem Ort, den wir hassen. Die Venen verlieren ihre Fähigkeit, Freude zu transportieren.

Gehen Sie in die Richtung, in die Sie gehen wollen?

Die *Knie*, wie der Nacken, haben mit Beweglichkeit zu tun, nur dass sie Beugung und Stolz, das Ego und Sturheit zum Ausdruck bringen. Bei Vorwärtsbewegungen haben wir oft Angst, vom einmal eingeschlagenen Weg abzuweichen. Das macht uns unflexibel und lässt die Gelenke steif werden. Wir wollen uns vorwärts bewegen, aber wir wollen unsere Wege nicht ändern. Deswegen dauert eine Heilung der Knie so lange; unser Ego ist mit betroffen. Der Knöchel ist auch ein Gelenk; und doch kann er nach einer Verletzung ziemlich schnell heilen. Bei den Knien dauert es so lange, weil unser Stolz und unsere Überheblichkeit damit zu tun haben.

Bei einem zukünftigen Knieproblem sollten Sie sich selbst fragen, wo Sie überheblich waren, wo Sie sich weigerten,

251

sich zu beugen. Lassen Sie die Sturheit sein, lösen Sie sich davon. Das Leben ist fließend, Leben ist Bewegung. Um uns wohlzufühlen, sollten wir beweglich sein und uns mit dem Leben bewegen. Eine Weide beugt sich, schwingt und bewegt sich mit dem Wind, ist immer anmutig und in Einklang mit dem Leben.

Unsere *Füße* haben mit unserem Verständnis zu tun – mit unserem Verständnis unserer selbst und des Lebens – der Vergangenheit, Gegenwart und Zukunft.

Vielen alten Menschen fällt das Laufen schwer. Ihr Verständnis wurde verzerrt, sie haben oft das Gefühl, nicht zu wissen, wohin sie gehen können. Kleine Kinder laufen auf glücklichen, tanzenden Füßen. Ältere Menschen schlurfen, als ob sie eine Abneigung gegen Bewegung hätten.

Unsere *Haut* repräsentiert unsere Individualität. Hautprobleme bedeuten normalerweise, dass unsere Individualität irgendwie bedroht wurde. Wir spüren, dass andere Macht über uns haben. Wir sind dünnhäutig. Etwas geht uns unter die Haut, wir meinen, uns würde das Fell über die Ohren gezogen, wir haben unsere Nerven unmittelbar unter der Haut.

Die schnellste Art, Hautprobleme zu heilen, ist, sich selbst Kraft zu geben, indem Sie sich mehrere hundert Mal im Stillen sagen: »Ich erkenne mich selbst an.« Holen Sie sich Ihre eigene Macht zurück.

Unfälle sind kein Zufall. Wir erschaffen sie wie alles andere in unserem Leben. Wir müssen nicht unbedingt sagen: »Ich will einen Unfall haben«, aber wir verfügen über die geistigen Denkmuster, die auf einen Unfall anziehend wirken. Manche Leute scheinen »anfällig für Unfälle«

zu sein, während andere im ganzen Leben keinen einzigen Kratzer abbekommen.

Unfälle sind Ausdruck von Wut. Sie zeigen aufgestaute Frustrationen an, die daher rühren, dass Menschen nicht die Freiheit haben, für sich selbst sprechen zu können. Unfälle zeigen auch ein Rebellieren gegen Autorität an. Wir werden so wütend, dass wir die Leute schlagen wollen, stattdessen werden *wir* geschlagen.

Wenn wir uns über uns ärgern, wenn wir uns schuldig fühlen, wenn wir meinen, bestraft werden zu müssen, ist ein Unfall eine wunderbare Art, sich dessen anzunehmen. Es scheint, als sei ein Unfall nicht unsere Schuld, als seien wir hilflose Opfer eines Schicksalsschlages. Ein Unfall verschafft uns die Möglichkeit, bei anderen Sympathie und Aufmerksamkeit zu erlangen. Unsere Wunden werden gebadet und gepflegt. Oft müssen wir das Bett hüten, manchmal für längere Zeit. Und wir haben Schmerzen.

Die Stelle im Körper, wo der Schmerz auftaucht, bietet uns einen Anhaltspunkt, in welchem Bereich des Lebens wir uns schuldig fühlen. Das Ausmaß des körperlichen Schadens gibt Aufschluss darüber, wie ernsthaft wir meinten, bestraft werden zu müssen und wie lange die Strafe dauern sollte.

Anorexie und *Bulimie* entstehen aus einer Ablehnung des eigenen Selbst, sie sind extreme Formen von Selbsthass.

Essen ist Nahrung grundlegender Art. Warum verweigern Sie sich selbst die Nahrung? Warum wollen Sie sterben? Was ist in Ihrem Leben so schrecklich, dass Sie es völlig hinter sich lassen wollen?

Selbsthass bedeutet nur, dass Sie das Bild hassen, das Sie von sich haben. Doch das sind nur Gedanken, und Gedanken lassen sich verändern. Was ist an Ihnen so schrecklich?

253

Sind Sie in einer kritischen Familie aufgewachsen? Hatten Sie kritische Lehrer? Wurde Ihnen in Ihrer frühen religiösen Erziehung vermittelt, dass Sie so, wie Sie sind, »nicht gut genug« sind? Wir versuchen oft »einleuchtende« Gründe dafür zu finden, warum wir nicht geliebt und akzeptiert werden, wie wir sind.

Weil in der Modeindustrie Schlanksein zur Besessenheit geworden ist, richtet sich der Selbsthass vieler Frauen, die unter dem grundsätzlichen Gefühl, »nicht gut genug« zu sein, leiden, auf ihren Körper. Sie denken: »Wenn ich nur schlank genug wäre, würden die anderen mich lieben und akzeptieren.« Aber das gelingt nicht. Veränderungen funktionieren nicht von außen nach innen. Selbstanerkennung und Selbstakzeptanz sind der Schlüssel.

Arthritis ist eine Krankheit, die durch fortgesetztes Kritisieren entsteht. In erster Linie durch Selbstkritik sowie Kritik an anderen. Arthritische Menschen ziehen oft Kritik an, weil es ihr Verhaltensmuster ist, zu kritisieren. Ihr Muster, dass sie sich selbst auferlegen wie einen Fluch, ist der »Perfektionismus«, das Bedürfnis, immer und überall vollkommen sein zu wollen.

Ist Ihnen jemand auf diesem Planeten bekannt, der »perfekt« ist? Ich kenne niemanden. Warum setzen wir uns selbst Maßstäbe, nach denen wir »Supermenschen« sein müssen, nur um einigermaßen akzeptabel zu sein? Damit zeigen wir nur, dass wir glauben, »nicht gut genug« zu sein, und bürden uns eine schwere Last auf.

Asthma nennen wir »die Liebe ersticken«. Es ist ein Gefühl, nicht das Recht zum Atmen zu haben. Asthmatische Kinder haben oft ein »überentwickeltes Gewissen«. Sie entwickeln Schuldgefühle wegen allem, was in ihrem Umfeld falsch zu sein scheint. Sie fühlen sich »minderwertig« und deshalb schuldig und hegen ein Verlangen nach Selbstbestrafung. Luftkuren helfen manchmal gegen Asthma, besonders wenn die Familie *nicht* mitfährt.

Normalerweise »entwachsen« asthmatische Kinder ihrer Krankheit. In Wirklichkeit bedeutet das, dass sie wegen Ausbildung oder Studium wegziehen, heiraten oder aus irgendeinem anderen Grund ihr Elternhaus verlassen – dann verschwindet die Krankheit. Im späteren Leben geschieht es oft, dass ein Erlebnis einen inneren Schalter drückt, und sie bekommen wieder einen Asthmaanfall. Wenn das geschieht, reagieren sie nicht unbedingt auf ein aktuelles Erlebnis, sondern eher auf das, was sie häufig in ihrer Kindheit erlebt haben.

Furunkel und *Verbrennungen, Schnittwunden, Fieber, Wundsein* und *Entzündungen* sind Hinweise auf Wut, die durch den Körper zum Ausdruck kommt. Wut findet immer eine Ausdrucksmöglichkeit, gleichgültig, wie sehr wir versuchen, sie zu unterdrücken. Dampf, der sich aufgestaut hat, muss abgelassen werden. Wir fürchten unsere Wut aus Angst, unsere Welt zu zerstören, obwohl Wut so einfach aufzulösen ist, indem man sagt: »Ich bin wütend über...« Es stimmt, dass wir das nicht immer zu unseren Chefs sagen können. Wir können aber auf unser Bett eindreschen, im Auto schreien oder auch einfach nur Tennis spielen. Das sind harmlose Methoden, sich körperlich von Ärger zu befreien.

Spirituelle Menschen sind oft der Meinung, sie »sollten« niemals wütend werden. Das stimmt schon, wir alle arbeiten darauf hin, anderen nicht länger Vorwürfe wegen unserer Gefühle zu machen. Aber bis wir dort angelangt sind, ist es gesünder, zuzugeben, was wir im jeweiligen Moment empfinden.

Krebs ist eine Krankheit, die durch tief sitzende, lange zurückgehaltene Verbitterung und Wut hervorgerufen wird, bis der Körper im wahrsten Sinne des Wortes zerfressen wird. In der Kindheit ist etwas geschehen, wodurch das Grundvertrauen zerstört wurde. Diese Erfahrung wird niemals vergessen. Das Individuum lebt in Selbstmitleid und findet es schwierig, dauerhafte und fruchtbare Beziehungen aufzubauen. Das Leben scheint wegen dieses Systems negativer

Glaubenssätze aus einer Kette von Enttäuschungen zu bestehen. Ein Gefühl der Hoffnungslosigkeit, Hilflosigkeit und des Verlusts breitet sich aus, und es wird einfach, den anderen die Schuld an all unseren Schwierigkeiten zu geben. Außerdem sind Krebspatienten sehr selbstkritisch. Ich meine, dass das Erlernen von Selbstliebe und Selbstakzeptanz der Schlüssel zur Krebsheilung ist.

Übergewicht repräsentiert ein Bedürfnis nach Schutz. Wir suchen Schutz vor Verletzungen, geringschätziger Behandlung, Kritik, Missbrauch, Sexualität und sexuellen Annäherungsversuchen. Oft besteht eine allgemeine Lebensangst oder es gibt Ängste in bestimmten Lebensbereichen. Entscheiden Sie selbst, was jeweils zutrifft.

Ich selbst bin eher zierlich, trotzdem habe ich im Laufe der Jahre festgestellt, dass ich ein paar Pfund zunehme, wenn ich mich unsicher und nicht wohlfühle. Wenn die Bedrohung verschwunden ist, verschwindet auch das zusätzliche Gewicht von allein.

Der Kampf gegen das Fett ist Zeit- und Energieverschwendung. Diäten funktionieren nicht. Sobald Sie mit einer Diät aufhören, nehmen Sie wieder zu. Sich selbst lieben und wertschätzen, dem Leben und der Macht des eigenen Bewusstseins vertrauen – das ist die beste Diät, die ich kenne. Machen Sie eine Gedanken-Diät, indem Sie negative Gedanken durch positive ersetzen, dann wird sich Ihr Gewicht ganz von selbst regulieren.

Zu viele Eltern stopfen ihre kleinen Kinder mit Essen voll, um von Problemen abzulenken. Später, wenn das Kind erwachsen wird, geht es, sobald ein Problem auftaucht, zum Kühlschrank und tröstet sich mit Essen.

Schmerz jeder Art ist nach meiner Ansicht ein Hinweis auf Schuldgefühle. Schuld sucht nach Strafe, und Strafe verursacht Schmerz. Chronische Schmerzen entstehen durch chronische Schuldgefühle, die oft so tief vergraben liegen, dass wir uns ihrer nicht mehr bewusst sind.

Schuld ist ein völlig nutzloses Gefühl. Weder wird damit jemandem geholfen noch wird eine Situation dadurch verändert.

Ihre »Strafe« ist jetzt verbüßt, also entlassen Sie sich aus dem Gefängnis. Vergebung bedeutet nur, etwas aufzugeben, loszulassen.

Schlaganfälle sind Blutgerinnsel; eine Verstopfung im Blutkreislauf des Gehirns führt zu einer Unterbrechung der Blutzufuhr zum Gehirn.

Das Gehirn ist der Computer des Körpers. Blut bedeutet Freude. Die Venen und Arterien sind Kanäle der Freude. Alles arbeitet nach dem Gesetz und Prinzip der Liebe. Liebe wohnt jedem Teilchen der universellen Intelligenz inne. Ohne Liebe und Freude erlebt zu haben, ist es unmöglich, gut zu arbeiten und zu funktionieren.

Negatives Denken verkleistert das Gehirn, und es bleibt kein Raum für den freien und offenen Fluss von Liebe und Freude.

Lachen kommt einem nicht über die Lippen, wenn man nicht frei und lustig sein darf. Das gilt auch für Liebe und Freude. Das Leben ist nicht düster und trostlos, außer wir gestalten es so, außer wir entscheiden uns, es auf diese Weise zu betrachten.

Wir können im kleinsten Fehlschlag die völlige Katastrophe sehen, und wir können noch in der größten Tragödie ein wenig Freude finden. Das liegt ganz bei uns.

Manchmal versuchen wir, unser Leben in eine bestimmte Richtung zu zwingen, die nicht wirklich unserem höchsten Wohl dient. Manchmal erschaffen wir Schlaganfälle, um uns zu einer radikalen Richtungsänderung zu zwingen, damit wir unsere Lebensweise noch einmal neu bewerten können.

Steifheit des Körpers repräsentiert Unbeweglichkeit des Bewusstseins. Aus Angst klammern wir uns an Altes und empfinden es als schwierig, flexibel zu sein. Wenn wir glauben, dass es nur einen einzigen Weg gibt, etwas zu tun, entwickeln wir oft körperliche Steifheitssymptome. Es stehen uns aber immer auch andere Möglichkeiten offen. Denken Sie an Virginia Satir und ihre über 250 verschiedenen Möglichkeiten, Geschirr zu spülen.

Beobachten Sie, wo die Steifheit in Ihrem Körper auftritt, und schlagen Sie dieses Körperteil in meinem Verzeichnis geistiger Muster nach. So finden Sie heraus, in welchem Bereich Ihres Bewusstseins Sie stur und starr sind.

Die *Chirurgie* hat durchaus ihre Berechtigung. Sie hilft bei gebrochenen Knochen, Unfällen und bei Krankheitszuständen, deren mentale Auflösung außerhalb der Möglichkeiten eines Anfängers liegt. Unter diesen Bedingungen mag es einfacher sein, sich operieren zu lassen und die heilende Bewusstseinsarbeit darauf zu konzentrieren, dass ein solcher Zustand nicht wieder entsteht.

Jeden Tag gibt es immer mehr wunderbare Menschen in medizinischen Berufen, die sich aufrichtig der Hilfe für die Menschheit widmen. Immer mehr Ärzte wenden sich holistischen Heilverfahren zu, bei denen der ganze Mensch behandelt wird. Trotzdem arbeiten die meisten Mediziner nicht an der *Ursache* einer Krankheit. Sie behandeln die Symptome, die Auswirkungen.

Das tun sie auf zweierlei Art: Entweder sie vergiften oder sie verstümmeln. Chirurgen schneiden. Wenn Sie einen Chirurgen aufsuchen, empfehlen diese normalerweise das Schneiden. Wenn aber einmal die Entscheidung für eine Operation getroffen ist, sollten Sie sich auf diese Erfahrung gut vorbereiten, damit alles möglichst reibungslos verläuft und Sie so schnell wie möglich gesund werden.

Bitten Sie den Chirurgen und sein Team, mit Ihnen in diesem Punkt zusammenzuarbeiten. Chirurgen und ihr Team im Operationssaal sind sich oft nicht darüber im Klaren, dass der Patient trotz seiner vorübergehenden Bewusstlosigkeit alles, was gesagt wird, auf unbewusster Ebene mithört und aufnimmt.

Eine bekannte New-Age-Lehrerin erzählte, dass sie eines Tages eine Notoperation benötigte. Vor der Operation führte sie ein Gespräch mit dem Chirurgen und dem Anästhesisten. Sie bat darum, während der Operation leise Musik zu spielen und mit ihr und untereinander nur in positiven Aussagen zu sprechen. Die Krankenschwester im Aufwachraum handelte genauso. Die Operation verlief unkompliziert, und sie wurde rasch und ohne Komplikationen wieder gesund.

Meinen eigenen Patienten empfehle ich immer folgende Affirmationen: »Jede Hand, die mich im Krankenhaus berührt, ist eine heilende Hand und bringt nichts als Liebe zum Ausdruck.« Und: »Die Operation verläuft schnell, reibungslos und perfekt.« Eine andere Affirmation lautet: »Ich fühle mich während der ganzen Zeit sehr gut.« Nach der Operation sollten Sie sich so oft wie möglich leise, wohlklingende Musik vorspielen und affirmieren: »Ich werde schnell auf angenehme Weise und vollkommen wieder gesund.« Sagen Sie zu sich selbst: »Ich fühle mich Tag für Tag besser.« Stellen Sie sich, wenn möglich, eine Kassette mit Affirmationen zusammen. Nehmen Sie Ihren Kassettenrekorder mit ins Krankenhaus, und spielen Sie Ihre Kassette immer wieder ab, während Sie sich ausruhen und wieder zu Kräften kommen. Achten Sie auf positive Empfindungen, nicht auf Schmerzen. Stellen Sie sich vor, wie Liebe von Ihrem Herzen hinunterströmt durch Ihre Arme und in Ihre Hände hinein. Legen Sie Ihre Hände auf die heilende Stelle und sagen Sie zu dieser Stelle: »Ich liebe dich und ich helfe dir, gesund zu werden.«

Aufgedunsensein des Körpers repräsentiert gehemmte und stagnierende Gefühle. Wir erschaffen Situationen, in denen wir »verletzt« werden, und halten dann an diesen Erinnerungen fest. Aufgedunsensein steht oft für aufgestaute Tränen, für das Gefühl, blockiert und gefangen zu sein, oder dafür, dass wir anderen die Schuld an der Beengtheit unseres Lebens geben.

Lösen Sie sich von der Vergangenheit, lassen Sie sie wegschwemmen. Holen Sie sich Ihre eigene Macht zurück. Halten Sie sich nicht länger mit Unerwünschtem auf. Setzen Sie Ihr Bewusstsein ein, um das zu erreichen, was Sie auch wirklich wollen. Schwimmen Sie entspannt in den Gezeiten des Lebens.

Tumore sind falsches Wachstum. Eine Auster lässt, weil sie sich vor Verletzung schützen will, um ein kleines Sandkorn eine harte schimmernde Schale wachsen. Wir nennen diese schützende Schale Perle und finden sie wunderschön. Wir haben eine alte Verletzung, pflegen sie und kratzen dauernd den Schorf ab und nach gewisser Zeit haben wir einen Tumor. Ich nenne das: Abspielen des alten Films. Ich glaube, Frauen haben im Bereich des Uterus so viele Tumore, weil sie eine emotionale Verletzung, einen Schlag gegen ihre Weiblichkeit, nicht abheilen lassen, sondern diesen Schmerz geradezu hegen und pflegen. Ich nenne es das »Er hat mich schlecht behandelt«-Syndrom.

Das Ende einer Beziehung bedeutet nicht, dass etwas mit uns nicht stimmt, und es mindert auch nicht unseren Selbstwert.

Es kommt nicht darauf an, *was geschieht,* sondern wie wir darauf *reagieren.* Jeder von uns ist für alle seine Erfahrungen selbst verantwortlich. Welche Ansichten über sich selbst müssen Sie verändern, um liebevolleres Verhalten anderer Menschen in Ihr Leben zu ziehen?

In der Unendlichkeit des Lebens,
dort, wo ich bin, ist alles heil und vollkommen.

✳

Ich betrachte meinen Körper
als meinen guten Freund.

✳

Jede Zelle meines Körpers
besitzt göttliche Intelligenz.

✳

Ich höre dem, was sie sagt, zu
und weiß, dass ihr Ratschlag triftig ist.

✳

Ich bin immer sicher,
göttlich beschützt und geführt.

✳

Ich entscheide mich, gesund und frei zu sein.
Alles ist gut in meiner Welt.

Ich bin gut genug.

Ich vertraue darauf, dass sich mein Leben optimal entfaltet.

Ich ruhe jetzt total in der Liebe und Freude meines Menschseins.

Ich bin göttlicher Selbstausdruck.

Ich entscheide mich für Frieden und Harmonie.

Freude! Freude! Fr

Ich löse mich jetzt von dem alten Muster in mir, das hinter dieser Erfahrung steht.

Ich liebe mich.

Alles ist gut

Gefahrlos kann ich meine Ideale leben.

Ich verzeihe mir.

Ich vergebe den anderen

Ich öffne mein Bewusst

Liebevoll löse ich mich von meiner Vergangenheit.

keit bewege ich mich durch Zeit und Raum.

Mit Leichtig-

Ich bin stark.

Mein Leben ist wundersch

15

Das Verzeichnis

»Ich bin gesund, heil und vollkommen.«

Schauen Sie sich das auf den nächsten Seiten folgende Verzeichnis an, das meinem Buch *Heile Deinen Körper* entnommen ist. Prüfen Sie, ob zwischen den Krankheiten, die Sie einmal hatten oder vielleicht gerade jetzt haben, und den von mir genannten Ursachen ein Zusammenhang besteht. Eine gute Methode, das Verzeichnis bei einem körperlichen Problem zu benutzen, sieht so aus:

1. Schlagen Sie die geistige Ursache nach. Überlegen Sie, ob sie auf Sie zutrifft. Wenn nicht, setzen Sie sich ruhig hin und fragen Sie sich: »Welche Gedanken in mir könnten dieses Problem hervorgerufen haben?«
2. Sagen Sie mehrfach: »Ich bin bereit, mich von dem Verhaltensmuster in meinem Bewusstsein zu lösen, das diesen Zustand hervorgerufen hat.«
3. Wiederholen Sie das neue Gedankenmuster mehrere Male.
4. Machen Sie sich bewusst, dass der Heilungsprozess bereits begonnen hat.

Immer wenn Sie an Ihr Gesundheitsproblem denken, wiederholen Sie diese Schritte.

Problem	Wahrscheinliche Ursache
Abszess	Gärende Gedanken an Verletzungen, Kränkungen und Rache.
Addisonsche Krankheit	Bedenkliche emotionale Unter-ernährung. Wut gegen sich selbst.
After	Entlastungsstation. Müllablageplatz.
After (Abszess)	Wut auf das, was du nicht loslassen willst.
After (Blutung)	Wut und Enttäuschung.
After (Fistel)	Unvollständige Abgabe von Müll. Festhalten am Müll der Vergangenheit.
After (Hämorrhoiden)	Angst vor dem Tödlichen. Wut auf die Vergangenheit. Furcht, loszulassen. Fühlt sich belastet.
After (Jucken)	Schuldgefühle wegen Vergangenem. Reue.
After (Schmerz)	Schuldgefühl. Wunsch nach Bestra-fung. Gefühl, nicht gut genug zu sein.
Aids	Fühlt sich wehr- und hoffnungslos. Keiner kümmert sich. Starke Überzeu-gung, nicht gut genug zu sein. Verleug-nung des Selbst. Sexuelle Schuldgefühle.
Akne	Sich selbst nicht annehmen. Sich selbst nicht mögen.
Alkoholismus	»Was soll's?«-Gefühl von Sinnlosigkeit, Schuld, Unzulänglichkeit. Selbstablehnung.

Neues Gedankenmuster

Ich erlaube meinen Gedanken, frei zu sein.
Die Vergangenheit ist vorbei. Ich bin in Frieden.

Ich nehme mich liebevoll meines Körpers,
meines Denkens und meiner Gefühle an.

Leicht und mühelos löse ich mich von dem, was ich im
Leben nicht mehr brauche.

Es ist gut, loszulassen. Nur was ich nicht mehr brauche,
verlässt meinen Körper.

Ich traue dem Prozess des Lebens. Nur was richtig und gut
ist, findet in meinem Leben statt.

Liebevoll löse ich mich von der Vergangenheit.
Ich bin frei. Ich bin Liebe.

Ich lasse alles los, was nicht Liebe ist. Für alles, was ich tun
will, ist Zeit und Raum vorhanden.

Liebevoll vergebe ich mir. Ich bin frei.

Die Vergangenheit ist vorbei. Ich entscheide mich bewusst,
mich im Jetzt zu lieben und zu akzeptieren.

Ich bin Teil des universellen Plans. Ich bin wichtig und
werde vom Leben geliebt. Ich bin stark und kompetent.
Ich liebe und akzeptiere mich völlig.

Ich bin eine göttliche Ausdrucksform des Lebens. Ich liebe
und akzeptiere mich in diesem Augenblick und dort,
wo ich bin.

Ich lebe im Jetzt. Jeder Augenblick ist neu. Ich erkenne
meinen Selbstwert. Ich liebe und akzeptiere mich.

Problem	Wahrscheinliche Ursache
Allergien	Gegen wen bist du allergisch? Leugnung der eigenen Kraft.
Altwerden als Problem	Negative gesellschaftliche Vorstellungen. Altes Denken. Angst, man selbst zu sein. Ablehnung des Jetzt.
Alzheimersche Krankheit (s. Demenz und Senilität)	Weigerung, mit der Welt so umzugehen, wie sie ist. Hoffnungs- und Hilflosigkeit. Wut.
Anämie	»Ja, aber«-Haltung. Mangel an Freude. Angst vor dem Leben. Fühlt sich nicht gut genug.
Angst	Kein Vertrauen in den Fluss und Fortgang des Lebens.
Anorexie (s. Magersucht)	
Apathie	Widerstand gegen Empfindungen. Selbstabtötung. Angst.
Appetit (zu viel)	Angst. Braucht Schutz. Verurteilt Gefühle.
Appetit (zu wenig) (s. Magersucht)	Angst. Schützt sich. Traut dem Leben nicht.
Arme	stehen für die Fähigkeit, die Erfahrungen des Lebens festzuhalten.
Arterien	transportieren die Lebensfreude.
Arteriosklerose	Widerstand, Spannung, sture Engstirnigkeit, weigert sich, das Gute im Leben zu sehen.

Neues Gedankenmuster

Die Welt ist sicher und freundlich. Ich bin im Frieden mit dem Leben.

Ich liebe und akzeptiere mich in jedem Alter.
Jeder Augenblick im Leben ist vollkommen.

Es gibt für mich immer einen neuen und besseren Weg, das Leben zu erfahren. Ich vergebe der Vergangenheit und lasse sie los. Ich schreite weiter zur Freude.

Es ist gut für mich, Freude in jedem Bereich meines Lebens zu erfahren. Ich liebe das Leben.

Ich liebe und akzeptiere mich und traue dem Prozess des Lebens. Ich bin in Sicherheit.

Es ist gut, zu fühlen. Ich öffne mich dem Leben.
Ich bin gewillt, das Leben zu erfahren.

Ich bin in Sicherheit. Es ist gut, Gefühle zu haben.
Meine Gefühle sind normal und annehmbar.

Ich liebe und akzeptiere mich. Ich bin in Sicherheit,
Liebe ist sicher und freudvoll.

Liebevoll halte und umarme ich meine Erfahrungen.

Ich bin erfüllt von Freude. Sie durchströmt mich mit jedem Pulsschlag meines Herzens.

Ich bin ganz offen für Leben und Freude. Ich will mit Augen der Liebe sehen.

Problem	Wahrscheinliche Ursache
Arthritis	Fühlt sich ungeliebt. Kritiksucht, Groll.
Arthritis deformans	Tiefe Kritik an der Autorität. Fühlt sich sehr ausgenutzt.
Asthma	Erstickende Liebe. Unfähigkeit, für sich selbst zu atmen. Fühlt sich erdrückt, unterdrücktes Weinen.
Asthma des Kleinkindes	Angst vor dem Leben. Will nicht hier sein.
Atem	steht für die Fähigkeit, Leben aufzunehmen.
Atemprobleme	Angst oder Weigerung, sich ganz für das Leben zu öffnen. Gefühl, kein Recht zu haben, eigenen Lebensraum, eigenes Leben zu beanspruchen.
Aufstoßen	Angst. Schlingt das Leben zu rasch in sich herein.
Augen	stehen für die Fähigkeit, deutlich die Vergangenheit, Gegenwart und Zukunft zu sehen.
Augenprobleme	Dir gefällt nicht, was du in deinem Leben siehst.
Augenprobleme (Astigmatismus)	»Ich-Problem«. Angst, seinem wahren Ich ins Auge zu sehen.
Augenprobleme (auswärtsschielend)	Angst, die Gegenwart zu betrachten, die unmittelbar vor einem liegt.
Augenprobleme (Bindehautentz.)	Wut und Enttäuschung über das, was du im Leben siehst.

Neues Gedankenmuster

Ich bin Liebe. Ich beschließe, mich zu lieben und zu akzeptieren. Ich sehe andere mit Augen der Liebe.

Ich bin meine eigene Autorität. Ich liebe und akzeptiere mich. Das Leben ist gut.

Es ist gut für mich, mein Leben jetzt selbst in die Hand zu nehmen. Ich entscheide mich für die Freiheit.

Dieses Kind ist sicher und geliebt. Es ist willkommen und umsorgt.

In perfekter Harmonie nehme ich Nahrung auf und gebe sie wieder ab.

Es ist mein Recht, erfüllt und frei zu leben. Ich bin liebenswert.

Für alles, was ich (zu tun) brauche, ist Zeit und Raum vorhanden. Ich lebe in Frieden.

Ich sehe mit Liebe und Freude.

Ich erschaffe jetzt das Leben, das ich gerne betrachte.

Ich bin willens, meine eigene Schönheit und Großartigkeit zu sehen.

Ich liebe und akzeptiere mich hier und jetzt.

Ich sehe mit Augen der Liebe. Es gibt eine harmonische Lösung, und ich akzeptiere sie jetzt.

Problem	Wahrscheinliche Ursache
Augenprobleme (grauer Star)	Unfähig, freudig vorauszublicken. Dunkle Zukunft.
Augenprobleme (grüner Star)	Starre Unversöhnlichkeit. Druck lange bestehender Verletztheit. Alles ist zu viel.
Augenprobleme (Hornhaut- entzündung)	Äußerste Wut. Starkes Verlangen zu schlagen, was oder wen du siehst.
Augenprobleme (infektiöse Binde- hautentzündung	Wut und Enttäuschung. Will nicht sehen.
Augenprobleme (kurzsichtig)	Angst vor der Zukunft.
Augenprobleme (Schielen)	Will nicht sehen, was sich zeigt. Widersprüchlichkeit.
Augenprobleme (weitsichtig)	Angst vor der Gegenwart.
Bandscheiben- vorfall	Fühlt sich vom Leben im Stich gelassen. Unentschlossen.
Bandwurm	Starker Glaube, unrein und Opfer geworden zu sein. Hilflos angesichts der scheinbaren Haltung anderer.
Bauchkrämpfe	Angst. Bringt den weiteren Fortgang zum Stillstand.
Bauchspeicheldrüse	steht für die Süße des Lebens.
Bauchspeicheldrüse (Entzündung)	Ablehnung. Wut und Enttäuschung, weil das Leben seine süße Seite verloren zu haben scheint.

Neues Gedankenmuster

Das Leben ist ewig und von Freude erfüllt. Ich freue mich auf jeden neuen Augenblick.

Ich sehe mit Liebe, Vergebung und Zärtlichkeit.

Ich erlaube der Liebe in meinem Herzen, alles zu heilen, was ich sehe. Ich wähle den Frieden. Alles ist gut in meiner Welt.

Ich löse mich von dem Bedürfnis, recht zu haben, Ich bin friedvoll. Ich liebe und akzeptiere mich.

Ich nehme die göttliche Führung an und bin immer sicher und geborgen.

Es ist gut, wenn ich hinschaue. Ich bin friedvoll.

Ich lebe sicher im Hier und Jetzt. Ich sehe alles klar und deutlich.

Das Leben unterstützt alle meine Gedanken. Deshalb liebe und akzeptiere ich mich, und alles ist gut.

Andere spiegeln nur die guten Gefühle wider, die ich in Bezug auf mich selbst habe. Ich liebe und akzeptiere alles, was ich bin.

Ich traue dem Prozess des Lebens. Ich bin in Sicherheit.

Mein Leben ist süß.

Ich liebe und akzeptiere mich, und ich allein bin es, der/die Süße und Freude in meinem Leben erzeugt.

Problem	Wahrscheinliche Ursache
Beine	tragen uns im Leben voran.
Beinprobleme (oben)	Festhalten an alten Kindheitstraumata.
Beinprobleme (unten)	Angst vor der Zukunft. Will nicht weitergehen.
Bettnässen	Angst vor den Eltern, gewöhnlich vor dem Vater.
Blasenprobleme (Entzündung)	Ängstlichkeit. Hält fest an alten Vorstellungen. Angst, loszulassen.
Blähungen	Zupacken. Angst. Unverdaute Vorstellungen.
Bläschenausschlag (Herpes genitalis)	Der allgemeine Glaube an sexuelle Schuld und die Notwendigkeit von Bestrafung. Öffentliche Schande. Glaube an einen strafenden Gott. Ablehnung der eigenen Genitalien und Geschlechtlichkeit.
Blinddarm-entzündung	Angst. Angst vor dem Leben. Den Fluss des Guten blockieren.
Blut	steht für die im Körper frei fließende Freude.
Blut gerinnt	Der Fluss der Lebensfreude ist gehemmt.
Blutdruck (hoch)	Lange bestehendes, ungelöstes emotionales Problem.
Blutdruck (niedrig)	Zu wenig Liebe als Kind. Defätismus. »Was soll's? Es wird ohnehin nicht gehen.«
Blutprobleme	Mangel an Freude, Ideen zirkulieren nicht genug.

Neues Gedankenmuster

Das Leben ist für mich da.

Ich lasse die Vergangenheit liebevoll hinter mir.

Voll Freude und Vertrauen gehe ich vorwärts und weiß, dass in meiner Zukunft alles gut ist.

Dieses Kind wird mit Liebe, Mitgefühl und Verständnis gesehen und behandelt. Alles ist gut.

Leicht und mühelos lasse ich das Alte gehen und heiße das Neue in meinem Leben willkommen. Ich bin in Sicherheit.

Ich entspanne und lasse das Leben mit Leichtigkeit durch mich fließen.

Mein Gottesbild unterstützt mich. Ich bin normal und natürlich. Ich erfreue mich an meiner Sexualität und meinem Körper. Ich bin wunderbar.

Ich bin in Sicherheit. Ich entspanne mich und lasse das Leben freudig fließen.

Ich bin die Lebensfreude, die gibt und empfängt.

Ich wecke neues Leben in mir. Ich fließe.

Freudig lasse ich die Vergangenheit hinter mir. Ich bin in Frieden.

Ich beschließe, im immer freudvollen Jetzt zu leben. Mein Leben ist eine Freude.

Freudvolle neue Ideen zirkulieren ungehindert und frei.

Problem	Wahrscheinliche Ursache
Blutung	Freude geht verloren. Wut – aber wo?
Bronchitis	»Entzündete« familiäre Umgebung. Streiten und Schreien. Manchmal auch Schweigen.
Bruch (Hernie)	Bruch in Beziehungen. Spannung, Belastung, unangemessener Ausdruck schöpferischer Kraft.
Brustprobleme (Zysten, Knoten, Wundheit [Mastitis])	Übertriebenes Bemuttern und Beschützen. Anmaßende Haltung.
Buckel	Wut im Rücken. Aufgestauter Ärger.
Bulimie	Hoffnungslose Angst. Zwanghaftes, rauschhaftes Sich-Vollstopfen. Wunsch, sich von Selbsthass zu reinigen.
Candidose (s. Soor, Hefepilzinfektionen)	Viel Frustration und Wut. Forderndes und misstrauisches Beziehungsverhalten.
Cholesterin-ablagerungen	verstopfen die Bahnen der Freude. Angst, Freude anzunehmen.
Chronische Krankheiten	Weigerung sich zu ändern. Angst vor der Zukunft. Unsicherheit.
Cushing-Syndrom	Mentale Unausgeglichenheit. Zu viele Gedanken, die einander erdrücken. Gefühl, überwältigt zu werden.
Dauerschmerz	Sehnsucht nach Liebe und Halt.
Demenz (s. Alzhei-mersche Krankheit und Senilität)	Weigerung, mit der Welt so umzugehen, wie sie ist. Hoffnungs- und Hilflosigkeit.

Neues Gedankenmuster

Ich bin Lebensfreude, gebe und nehme in perfektem Rhythmus.

Ich erkläre Frieden und Harmonie in mir und um mich.
Alles ist gut.

Mein Denken ist freundlich und harmonisch. Ich liebe und
akzeptiere mich. Ich bin frei, ich selbst zu sein.

Ich bin frei, ich selbst zu sein,
und ich gestehe anderen dieselbe Freiheit zu.

Ich sehe die Vergangenheit mit Freude. Keiner hat mir je
geschadet.

Das Leben selbst liebt und ernährt mich. Sicher und
behütet lebe und liebe ich.

Ich gestatte mir, alles zu sein, was ich sein kann, und ich
verdiene das Beste im Leben.

Ich beschließe, das Leben zu lieben. Meine Bahnen der Freude
sind weit offen. Es ist gut, empfänglich zu sein.

Ich bin willens, mich zu wandeln und zu wachsen.
Ich baue mir jetzt eine sichere neue Zukunft auf.

Liebevoll bringe ich Denken und Körper ins Gleichgewicht.
Ich erzeuge jetzt Gedanken, die sich für mich gut anfühlen.

Ich liebe und akzeptiere mich. Ich bin liebevoll und liebenswert.

Ich bin zur rechten Zeit am rechten Ort und immer
sicher und geborgen.

Problem	Wahrscheinliche Ursache
Diabetes	Sehnsucht nach dem, was gewesen sein könnte. Großes Bedürfnis nach Kontrolle. Tiefer Kummer. Das Leben hat nichts Süßes mehr.
Dickdarm (verschleimt)	Abgelagerte Reste alter, wirrer Gedanken verstopfen den Aus- scheidungsweg. Schwelgen im klebrigen Schlamm der Vergangenheit.
Dornwarze	Wut an der Basis deines Verstehens. Frus- tration über die Zukunft macht sich breit.
Drüsenprobleme (s. Addinsonsche Krankheit und Cushing- Syndrom)	Es mangelt an aktiver Umsetzung von Ideen.
Durchfall	Angst. Ablehnung. Entgleisung.
Eierstöcke	stellen Quellen der Schöpfung dar. Kreativität.
Ekzem	Atemberaubende Gegensätze. Mentale Ausbrüche.
Ellbogen	steht für den Richtungswechsel und das Annehmen neuer Erfahrungen.
Emphysem	Angst, das Leben anzunehmen. Fühlt sich nicht liebenswert.
Entzündung	Angst. Rotsehen. Erhitztes Denken.
Epilepsie	Gefühl, verfolgt zu werden. Ablehnung des Lebens. Das Leben als großer Kampf. Gewalt gegen sich selbst.

Neues Gedankenmuster

Dieser Augenblick ist von Freude erfüllt. Ich beschließe jetzt, die Süße dieses Tages zu erfahren.

Ich löse die Vergangenheit auf und löse mich von ihr. Ich bin ein Klardenker. Ich lebe friedlich und freudig im Jetzt.

Ich schreite vertrauensvoll und leicht voran. Ich vertraue und fließe mit dem Prozess des Lebens.

Ich habe göttliche Ideen und verwirkliche diese aktiv.

Aufnahme, Verdauung und Ausscheidung sind in vollkommener Ordnung. Ich bin in Frieden mit dem Leben.

Ich bin ausgeglichen in meinem Strom der Kreativität.

Harmonie und Frieden, Liebe und Freude umgeben und erfüllen mich. Ich bin geborgen und in Sicherheit.

Ich vertraue mich gerne dem Fluss neuer Erfahrungen an und bin offen für Veränderungen.

Es ist mein Recht, voll, ganz und frei zu leben. Ich liebe das Leben. Ich liebe mich selbst.

Mein Denken ist friedvoll, ruhig und ausgeglichen.

Ich beschließe, das Leben als ewig und freudig zu betrachten. Ich selbst bin ewig und freudig und in Frieden.

Problem	Wahrscheinliche Ursache
Eppstein-Barr-Virus	Selbstüberforderung. Angst, nicht gut genug zu sein. Stress-Virus.
Erkältungen	Zu viel auf einmal. Verwirrung, Unordnung im Denken. Kleine Verletzungen. Überzeugung wie: »Ich bekomme jeden Winter drei Erkältungen.«
Ermüdung	Widerstand, Langeweile. Mangelnde Liebe für das, was man tut.
Erstickungsanfälle	Angst. Kein Vertrauen in den Prozess des Lebens. Bleibt in der Kindheit hängen.
Fehlgeburt	Angst. Angst vor der Zukunft. »Nicht jetzt – später.« Ungeeigneter Zeitpunkt.
Fett	Überempfindlichkeit. Steht oft für Angst und zeigt ein Bedürfnis nach Schutz. Angst kann auch die Maske einer verborgenen Wut und starker Vergebungsunwilligkeit sein.
Fieber	Wut, Aufgezehrtwerden.
Finger	stehen für die Einzelheiten im Leben.
Finger (arthritisch)	Wunsch, zu bestrafen. Vorwurf. Fühlt sich schikaniert.
Finger (Daumen)	steht für Intellekt und Sorgen.
Finger (Zeigefinger)	steht für Ego und Angst.
Finger (Mittelfinger)	steht für Wut und Sexualität.
Finger (Ringfinger)	steht für Vereinigungen und Trauer.

Neues Gedankenmuster

Ich entspanne mich und erkenne, dass ich ein wertvoller Mensch bin. Das Leben ist leicht und freudvoll.

Ich gestatte meinem Denken, sich zu entspannen und Frieden zu finden. Klarheit und Harmonie erfüllen und umgeben mich. Alles ist gut.

Das Leben begeistert mich und erfüllt mich mit neuer Energie.

Es ist gut, erwachsen zu werden. Die Welt ist sicher. Ich bin in Sicherheit.

Göttlich-Richtiges geschieht überall in meinem Leben. Ich liebe und akzeptiere mich. Alles ist gut.

Ich stehe unter dem Schutz göttlicher Liebe. Ich bin immer in Sicherheit und geborgen. Ich bin willens, aufzuwachsen und die Verantwortung für mein Leben selbst in die Hand zu nehmen. Ich vergebe anderen und ich erschaffe mir jetzt mein Leben selbst, wie ich es will. Ich bin in Sicherheit.

Ich bin der ruhige, stille Ausdruck von Frieden und Liebe.

Ich bin auch mit den Details des Lebens in Frieden.

Mein Blick ist liebe- und verständnisvoll. Ich halte alle meine Erfahrungen ins Licht empor.

Mein Denken ist in Frieden.

Ich bin geborgen.

Ich fühle mich wohl mit meiner Sexualität.

Ich liebe in Frieden.

Problem	Wahrscheinliche Ursache
Finger (kleiner Finger)	steht für Familie und Rollenspiel.
Fistel	Angst. Blockade, loszulassen.
Flüssigkeits-ansammlungen	Was fürchtest du zu verlieren?
Frauenleiden	Selbstverleugnung. Ablehnung der eigenen Weiblichkeit und des femininen Prinzips.
Frigidität	Angst. Lustverleugnung. Glaube, dass Sex etwas Schlechtes sei. Gefühllose Partner. Angst vor dem Vater.
Frösteln	Mentaler Rückzug nach innen. Verlangen, sich zu entfernen. »Lass mich allein!«
Furunkel	Wut, kocht über.
Fußpilz	Enttäuschung, nicht akzeptiert zu werden. Unfähig, leichten Schrittes voranzugehen.
Fußprobleme	Angst vor der Zukunft und vor dem Voranschreiten im Leben.
Füße	stehen für unser Verstehen – in Bezug auf uns selbst, das Leben und die anderen.
Gallensteine	Verbitterung. Harte Gedanken. Verdammen. Stolz.
Gangrän	Krank machendes Denken. Freude wird in vergiftenden Gedanken ertränkt.
Gastritis	Anhaltende Ungewissheit. Schlimme Befürchtung.

Neues Gedankenmuster

Ich bin Teil der Familie des Lebens.

Ich bin in Sicherheit. Ich vertraue ganz dem Prozess des Lebens. Das Leben ist für mich.

Ich lasse willentlich und mit Freuden los.

Ich freue mich an meiner Weiblichkeit. Ich liebe es, Frau zu sein. Ich liebe meinen Körper.

Es ist gut, dass ich Freude an und mit meinem Körper habe. Ich liebe es, Frau zu sein. Ich liebe meinen Körper.

Ich bin jederzeit sicher und geborgen. Liebe umgibt und schützt mich. Alles ist gut.

Ich zeige Liebe und Freude und bin in Frieden.

Ich liebe und akzeptiere mich. Ich gebe mir die Erlaubnis, voranzuschreiten. Es ist gut, weiterzugehen.

Ich bewege mich mit Freude und Leichtigkeit vorwärts.

Mein Verständnis ist klar, und ich bin bereit, mich nach den Erfordernissen der Zeit zu wandeln. Ich bin in Sicherheit.

Ich lasse die Vergangenheit freudig los. Das Leben ist süß, und auch ich bin voll Süße.

Ich wähle jetzt harmonische Gedanken und lasse die Freude ungehindert durch mich strömen.

Ich liebe und akzeptiere mich. Ich bin in Sicherheit.

Problem	Wahrscheinliche Ursache
Gebärmutter	steht für das Zuhause der Kreativität.
Geburtsdefekte	Karmisch. Du hast selbst diesen Weg gewählt. Wir suchen unsere Eltern und Kinder selbst aus. Unerledigte Geschäfte.
Gedächtnis-schwund	Angst. Weglaufen vor dem Leben. Unfähigkeit, für sich selbst einzustehen.
Gehirn(tumor)	Unrichtiges, computerhaftes Denken. Starrköpfig, weigert sich, alte Denkmuster zu ändern.
Gelähmtheit	Angst. Schrecken. Flieht vor einer Situation oder Person. Widerstand.
Gelbsucht	Innere und äußere Vorurteile. Unausgewogenes Verstandesdenken.
Gelenke	stehen für Richtungsänderungen im Leben und für die Leichtigkeit dieser Bewegungen.
Genitalien	stehen für das maskuline bzw. feminine Prinzip.
Genitalien (Probleme)	Sorge, nicht gut genug zu sein.
Gesäß	steht für Macht. Schlaffe Muskulatur: Machtverlust.
Geschlechts-krankheiten	Sexuelle Schuldgefühle. Glaube, dass die Geschlechtsteile sündhaft oder schmutzig seien. Bedürfnis nach Bestrafung.
Geschwüre	Angst. Starker Glaube, nicht gut genug zu sein. Was nagt an dir?

Neues Gedankenmuster

Ich bin in meinem Körper zu Hause.

Jede Erfahrung ist perfekt für unseren Wachstumsprozess,
Ich bin in Frieden, wo und wie ich bin.

Intelligenz, Mut und Selbstwert sind ein Teil von mir.
Es ist gut, am Leben zu sein.

Es fällt mir leicht, meinen Denkcomputer
umzuprogrammieren. Alles im Leben wandelt sich,
und auch mein Denken erneuert sich ständig.

Ich bin eins mit allem Leben. Ich bin jeder Situation völlig
gewachsen.

Ich empfinde Toleranz, Mitgefühl und Liebe für
alle Menschen einschließlich mir selbst.

Ich fließe harmonisch mit den Veränderungen des Lebens.
Mein Leben steht unter göttlicher Führung, und ich gehe
immer in die beste Richtung.

Es ist gut, zu sein, wer und was ich bin.

Ich freue mich, auf meine Weise schöpferisch zu sein. Ich
bin vollkommen, wie ich bin. Ich liebe und akzeptiere mich.

Ich gebrauche meine Macht klug. Ich bin stark.
Ich bin in Sicherheit. Alles ist gut.

Ich nehme meine Sexualität und ihre Ausdrucksformen liebend
und mit Freude an. Ich akzeptiere nur Gedanken, die mich
unterstützen und mit denen ich mich wohlfühle.

Ich liebe und akzeptiere mich. Ich bin in Frieden.
Alles ist gut.

Problem	Wahrscheinliche Ursache
Gesicht	steht für das, was wir der Welt zeigen.
Gesichtszüge (hängend)	Kommen von »durchhängenden« Gedanken. Groll gegen das Leben.
Gicht	Bedürfnis zu dominieren. Ungeduld, Wut.
Gleichgewichts-störungen	Zerstreutes Denken, unkonzentriert.
Grippe	Reaktion auf Massennegativität und -glauben. Furcht. Glaube an Statistiken.
Gürtelrose	Angst und Spannung. Zu empfindlich.
Haar (Ausfall)	Angst. Spannung. Versuch, alles unter Kontrolle zu halten. Mangelndes Lebens-vertrauen.
Haar (grau)	Stress. Glaube an Druck und Anspannung.
Halsentzündung	Starke Überzeugung, du könntest nicht für dich selbst eintreten und um das bitten, was du brauchst.
Halsprobleme	Unfähigkeit, für sich selbst zu sprechen. Geschluckter Zorn. Erstickte Kreativität. Weigerung, sich zu ändern.
Handgelenk	steht für Bewegung und Leichtigkeit.
Handprobleme	Furcht vor neuen Ideen.

Neues Gedankenmuster

Es ist gut, ich zu sein. Ich verleihe meinem Selbst Ausdruck.

Ich zeige Lebensfreude und erlaube mir, jeden Augenblick jedes Tages zu genießen. Ich werde wieder jung.

Ich bin sicher und geborgen. Ich bin in Frieden mit mir selbst und mit anderen.

Ich sammle mich sicher in meiner Mitte und nehme die Vollkommenheit meines Lebens an.

Ich werde nicht von Gruppenmeinungen oder dem Kalender beeinflusst. Ich bin frei von allen Stauungen und frei von Grippe.

Ich bin entspannt und friedlich, weil ich auf den Prozess des Lebens vertraue. Alles ist gut in meiner Welt.

Ich bin in Sicherheit. Ich liebe und akzeptiere mich. Ich vertraue dem Leben.

Ich lebe friedvoll und fühle mich wohl in jedem Bereich meines Lebens. Ich habe die Kraft und schaffe es.

Es ist mein Recht, dass meine Bedürfnisse erfüllt werden. Mit Liebe und Leichtigkeit erbitte ich jetzt das, was ich brauche.

Es ist in Ordnung, meine Stimme erschallen zu lassen. Ich äußere mich frei und freudig. Mit Leichtigkeit spreche ich für mich. Ich gebe meiner Kreativität Ausdruck. Ich bin willens, mich zu wandeln.

Ich heiße alle Erfahrungen mit Weisheit, Liebe und Leichtigkeit willkommen.

Ich handhabe alle Ideen mit Liebe und Leichtigkeit.

Problem	Wahrscheinliche Ursache
Harnwegsinfektion	Stocksauer, gewöhnlich über das andere Geschlecht oder eine(n) Geliebte(n). Beschuldigt andere.
Hautausschlag	Irritiert wegen Verzögerungen. Kleinkindlicher Versuch, Aufmerksamkeit auf sich zu lenken.
Hautblasen	Widerstand. Mangel an emotionalem Schutz.
Hände	Halten und Behandeln. Fassen und Greifen. Packen und Loslassen. Streicheln. Stehlen. Alle Arten, mit Erfahrungen umzugehen.
Hefepilzinfektionen (s. Candidose, Soor)	Leugnung der eigenen Bedürfnisse. Unterstützt sich selbst nicht genug.
Herz	steht für das Zentrum der Liebe und Sicherheit.
Herz (Anfall [Infarkt])	Presst sich wegen Geld, Karriere o. Ä. alle Freude aus dem Herzen.
Herzkranzgefäß-thrombose	Fühlt sich einsam und voller Angst. »Ich bin nicht gut genug. Ich tue nicht genug. Ich werde es nie schaffen.«
Herzprobleme	Lange bestehende emotionale Probleme. Mangel an Freude. Verhärtung des Herzens. Glaube an Stress und Anspannung.
Heuschnupfen	Emotionale Stauung. Angst vor dem Kalender. Glaube, verfolgt zu werden. Schuldgefühle.
Hoden	Maskulines Prinzip, Männlichkeit.

Neues Gedankenmuster

Ich entlasse das Muster, das zu diesem Zustand geführt hat, aus meinem Bewusstsein. Ich bin willens, mich zu ändern. Ich liebe und akzeptiere mich.

Ich liebe und akzeptiere mich. Ich fließe friedvoll mit dem Leben.

Ich begebe mich frei in den Fluss des Lebens und Erlebens. Alles ist gut.

Ich beschließe, alle meine Erlebnisse mit Liebe, Freude und Leichtigkeit zu behandeln.

Ich entscheide mich jetzt bewusst dafür, mich selbst liebevoll zu unterstützen.

Mein Herz schlägt im Rhythmus der Liebe.

Ich bringe Freude zurück in die Mitte meines Herzens. Ich zeige allen Menschen meine Liebe.

Ich bin eins mit allem Leben. Das Universum gibt mir volle Unterstützung. Alles ist gut.

Freude, Freude, Freude! Liebevoll lasse ich Freude durch Herz und Sinn, Leib und Erleben fließen.

Ich bin eins mit *allem Leben*. Ich bin zu jeder Zeit in Sicherheit.

Es ist gut, ein Mann zu sein.

Problem	Wahrscheinliche Ursache
Hodgkinsche Krankheit (Lymphdrüsen- krebs)	Selbstvorwürfe und mächtige Angst, nicht gut genug zu sein. Wahnsinniger Wettlauf, sich zu beweisen, bis das Blut nicht mehr genug Substanz hat, sich selbst zu erhalten. Die Freude am Leben gerät bei dem Wettlauf um Anerkennung in Vergessenheit.
Husten	Verlangen, die Welt anzubellen. »Seht mich an! Hört mir zu!«
Hüfte	trägt den Körper in vollkommenem Gleichgewicht. Wichtigster Aspekt beim Vorankommen.
Hüftprobleme	Angst, bei großen Entscheidungen vorwärts zu gehen.
Hyperaktivität	Angst. Stress und wilde Unruhe.
Hyperglykämie [s. Diabetes]	
Hyperventilation	Angst. Widerstand gegen Veränderung. Kein Vertrauen in den Prozess des Lebens.
Hypoglykämie (Unterzucker)	Überwältigt durch die Last des Lebens. »Was soll's?«–Gefühl der Sinnlosigkeit.
Ileitis (Morbus Crohn)	Angst. Kummer. Fühlt sich nicht gut genug.
Impotenz	Sexueller Druck, Spannung, Schuld- gefühle. Trotz gegen einen früheren Partner. Angst vor der Mutter.
Infektionen	Gereiztheit, Wut, Ärger.

Neues Gedankenmuster

Ich bin glücklich, ich selbst zu sein. Ich bin gut genug, so, wie ich bin. Ich liebe und akzeptiere mich. Ich empfange und zeige Freude.

Ich werde auf positivste Weise bemerkt und geschätzt. Ich werde geliebt.

In jedem neuen Tag liegt Freude. Ich bin ausgeglichen und frei.

Ich bin vollkommen im Gleichgewicht. Ich gehe in meinem Leben und in jedem Alter mit Leichtigkeit und Freude voran.

Ich bin geborgen. Aller Druck löst sich auf. Ich bin gut genug.

An jedem Ort im Universums bin ich sicher und geborgen. Ich liebe mich und vertraue dem Prozess des Lebens.

Ich treffe jetzt die Entscheidung, mir mein Leben leicht, einfach und freudig zu machen.

Ich liebe und akzeptiere mich. Ich tue das Beste, was mir möglich ist. Ich bin wunderbar. Ich bin in Frieden.

Ich erlaube jetzt der ganzen Kraft meines sexuellen Prinzips, sich mit Leichtigkeit und Freude Ausdruck zu geben.

Ich beschließe, friedlich und harmonisch zu sein.

Problem	Wahrscheinliche Ursache
Inkontinenz	Überfließende Emotionen. Jahrelanges Unterdrücken der eigenen Gefühle.
Ischias	Scheinheiligkeit. Angst ums Geld und vor der Zukunft.
»Itis«	Wut und Enttäuschung über Zustände, die du in deinem Leben siehst.
Juckreiz (Pruritus)	Verlangen, das einem zuwider ist. Unbefriedigt. Reue. Jucken, um hinaus- oder fortzukommen.
Karbunkel	Vergiftender Zorn über persönliche Ungerechtigkeit.
Karpaltunnel-syndrom (s. Handgelenk)	Wut und Frustration angesichts der vermeintlichen Ungerechtigkeit des Lebens.
Kaumuskelkrampf	Wut. Kontrollbedürfnis. Weigerung, Empfindungen auszudrücken.
Kehle	Weg des Selbstausdrucks. Kanal der Kreativität.
Kehlkopf-entzündung	Du bist so außer dir, dass du nicht einmal mehr sprechen kannst. Angst, etwas auszusprechen. Groll gegen Autorität.
Kieferprobleme (TMJ-Syndrom)	Wut. Groll. Rachsucht.
Kinderlähmung	Lähmende Eifersucht. Verlangen, jemandem Einhalt zu gebieten.

Neues Gedankenmuster

Ich bin bereit, zu fühlen. Ich kann meine Gefühle gefahrlos ausdrücken. Ich liebe mich.

Ich gehe auf eine weitere Dimension meines Daseins zu. Gott ist überall auf meiner Seite, und ich bin sicher und geborgen.

Ich bin willens, alle Verhaltensmuster der Kritik zu ändern. Ich liebe und akzeptiere mich.

Ich bin in Frieden, wo ich gerade bin. Ich nehme das Gute in mir an und weiß, dass alle meine Bedürfnisse und Wünsche erfüllt werden.

Ich lasse die Vergangenheit los und erlaube der Liebe, jeden Bereich meines Lebens zu heilen.

Ich entscheide mich jetzt für ein erfülltes, freudiges, selbstbestimmtes Leben.

Ich vertraue dem Fluss des Lebens. Es fällt mir leicht, um das zu bitten, was ich will. Das Leben unterstützt mich.

Ich öffne mein Herz und singe von der Freude der Liebe.

Ich bin frei, um das zu bitten, was ich will. Es ist gut, sich zu äußern. Ich bin in Frieden.

Ich bin willens, alle Verhaltensmuster in mir zu ändern, die diesen Zustand erzeugt haben. Ich liebe und akzeptiere mich. Ich bin in Sicherheit.

Es ist genug für alle da. Ich schaffe mir Gutes und Freiheit mit liebevollen Gedanken.

Problem	Wahrscheinliche Ursache
Kinderkrankheiten	Glauben an Kalender, gesellschaftliche Maßstäbe und falsche Gesetze. Kindisches Verhalten der Erwachsenen in der Umgebung.
»Kloß im Hals«	Angst. Kein Vertrauen in den Prozess des Lebens.
Knieprobleme	Stures Ego, Stolz. Unbeugsamkeit. Angst. Mangelnde Flexibilität. Unnachgiebigkeit.
Knochen	stehen für die Struktur des Universums.
Knochenprobleme (Brüche)	Auflehnung gegen Autorität.
Knochenprobleme (Deformierungen, s. Osteomyelitis, Osteoporose)	Mentaler Druck, Spannung, Enge. Muskeln können sich nicht strecken. Verlust mentaler Beweglichkeit.
Knochen-wucherungen	Verhärtete Vorstellungen und Begriffe. Verfestigte Angst.
Knöchel (Sprunggelenk)	stehen für die Fähigkeit, Vergnügen zu empfinden. Unbeugsamkeit und Schuld.
Knötchen	Groll, Frustration u. Verletztheit wegen etwas, was der Karriere d. Ego im Weg steht.
Kolik	Mentale Gereiztheit, Ungeduld, verärgert über die Umgebung.
Kolitis	Unsicherheit. Steht für die Leichtigkeit, Dinge der Vergangenheit loszulassen.
Koma	Angst. Flieht vor etwas oder jemandem.

Neues Gedankenmuster

Dieses Kind steht unter göttlichem Schutz und ist in Liebe geborgen. Wir beanspruchen mentale Immunität.

Ich bin geborgen. Ich vertraue darauf, dass mein Leben gut ist. Frei und froh entfalte ich meine Talente.

Vergebungsbereitschaft. Verständnis. Mitgefühl. Ich beuge mich dem Fluss mit Leichtigkeit. Alles ist gut.

Ich bin wohlstrukturiert und ausgeglichen.

In meiner Welt bin ich meine eigene Autorität, denn ich bin der Einzige, der in meinem Kopf denkt.

Ich atme Lebenskraft. Ich entspanne und vertraue dem Fluss des Lebens.

Es ist gut, neue Ideen und Möglichkeiten zu sehen und zu erleben. Ich bin offen und empfänglich für das Gute.

Ich habe Anspruch darauf, mein Leben zu genießen. Ich freue mich an den guten Dingen des Lebens.

Ich glaube nicht länger an Verzögerungen und öffne mich für den Erfolg.

Dieses Kind spricht nur auf Liebe und liebevolle Gedanken an. Alles ist friedlich.

Ich bin Teil des vollkommenen Rhythmus und Flusses des Lebens. Alles ist in göttlicher, richtiger Ordnung.

Wir umgeben dich mit Geborgenheit und Liebe. Wir schaffen dir einen Raum zu heilen. Du wirst geliebt.

Problem	Wahrscheinliche Ursache
Kopfschmerzen	Invalidisiert sich selbst. Kritiksucht gegen sich selbst. Angst.
Körpergeruch	Angst. Abneigung gegen sich selbst. Angst vor anderen.
Krampfadern	Du stehst in einer Situation, die du hasst. Entmutigung. Fühlst dich überarbeitet und überlastet.
Krämpfe	Spannung. Angst. Greifen. Festhalten.
Krätze	Infiziertes Denken. Lässt zu, dass andere unter die Haut gehen.
Krebs	Tiefe Verletzung. Lange bestehender Groll. Tiefes Geheimnis oder Trauer, die am Selbst nagen. Trägt Hass in sich. Empfindet Sinnlosigkeit.
Kropf	Hass wegen etwas Aufgezwungenem. Fühlt sich als Opfer, im Leben bedroht, unerfüllt.
Krupp-Husten (s. Bronchitis)	
Leberentzündung	Widerstand gegen Veränderung. Angst, Wut, Hass. Die Leber ist der Sitz von Wut und Rage.
Leberprobleme	Chronische Beschweren. Rechtfertigt Fehlersuche, um sich selbst zu täuschen. Fühlt sich schlecht.
Lepra	Unfähigkeit, mit dem Leben überhaupt fertig zu werden. Lange genährte Überzeugung, nicht gut oder sauber genug zu sein.

Neues Gedankenmuster

Ich liebe und akzeptiere mich. Ich betrachte mich und das was ich tue, mit Augen der Liebe. Ich bin in Sicherheit.

Ich liebe und akzeptiere mich. Ich bin in Sicherheit.

Ich stehe in Wahrheit und Leben und bewege mich in Freude. Ich liebe das Leben und zirkuliere frei.

Ich entspanne mich und gestatte meinem Denken, Frieden zu finden.

Ich bin lebendiger, liebender, freudiger Ausdruck des Lebens. Ich bin ich selbst.

Liebevoll vergebe und löse ich alles Vergangene. Ich beschließe, meine Welt mit Freude zu füllen. Ich liebe und akzeptiere mich.

Ich bin die Macht und Autorität in meinem Leben. Ich bin frei, ich selbst zu sein,

Mein Denken ist geläutert und frei. Ich lasse die Vergangenheit hinter mir und schreite ins Neue weiter. Alles ist gut.

Ich beschließe, durch den offenen Raum in meinem Herzen zu leben. Ich trachte nach Liebe und finde sie überall,

Ich erhebe mich über alle meine Begrenzungen. Ich werde göttlich geführt und inspiriert. Liebe heilt alles Leben.

Problem	Wahrscheinliche Ursache
Leukämie	Inspiration wird brutal abgewürgt. »Was soll's?«
Linke Körperseite	Steht für Empfänglichkeit, weibliche Energie, Frauen, die Mutter.
Lungenentzündung	Verzweifelt. Lebensmüde. Emotionale Wunden dürfen nicht heilen.
Lungenprobleme	Depression. Trauer. Angst, Leben aufzunehmen. Fühlt sich nicht wert, ganz zu leben.
Lupus erythematodes (Wolf, Hauttuberkulose)	Aufgeben. Besser, zu sterben, als für sich einzustehen. Wut und Bestrafung.
Lymphprobleme	Eine Warnung, dass das Denken sich auf die wesentlichen Dinge im Leben zurückbesinnen muss. Liebe und Freude.
Magen	Birgt die Nahrung. Verdaut Vorstellungen und Ideen.
Magengeschwür	Angst. Glaube, du seist nicht gut genug. Ängstlich darauf bedacht, zu gefallen.
Magenprobleme	Große Furcht. Angst vor dem Neuen. Unfähigkeit, Neues zu verdauen.
Magersucht	Absage an das eigene Leben. Extreme Angst, Selbsthass und Selbstablehnung.
Mandelentzündung	Angst. Unterdrückte Emotionen. Erstickte Kreativität.

Neues Gedankenmuster

Ich lasse die früheren Begrenzungen hinter mir und
begebe mich in die Freiheit des Jetzt. Es ist gut, ich selbst
zu sein.

Meine weibliche Energie ist wunderbar im Gleichgewicht.

Frei nehme ich göttliche Ideen in mich auf, die mit Odem
und Intelligenz des Lebens erfüllt sind. Dies ist ein neuer
Augenblick.

Ich vermag die Fülle des Lebens in mich aufzunehmen,
In Liebe lebe ich die Fülle des Lebens.

Ich trete frei für mich ein. Ich nehme meine eigene Macht
in Anspruch. Ich liebe und akzeptiere mich. Ich bin frei und
in Sicherheit.

Ich bin jetzt fest verankert in der Liebe und Freude,
am Leben zu sein. Ich gebe mich in den Strom des Lebens.
Friede beherrscht mein Gemüt.

Ich verdaue das Leben mit Leichtigkeit.

Ich liebe und akzeptiere mich. Ich bin mit mir selbst
in Frieden. Ich bin wunderbar.

Das Leben stimmt mit mir überein. Ich nehme jeden
Augenblick jedes Tages das Neue in mich auf. Alles ist gut.

Es ist gut, ich zu sein. Ich bin wunderbar, so, wie ich bin.
Ich entscheide mich für das Leben. Ich entscheide mich für
Freude und Selbstachtung.

Das Gute in mir fließt nun frei. Göttliche Ideen finden
durch mich Ausdruck. Ich bin in Frieden.

Problem	Wahrscheinliche Ursache
Mastoiditis	Wut und Enttäuschung. Ein Verlangen, nicht zu hören, was geschieht. Gewöhnlich bei Kindern. Angst infiziert das Verstehen.
Menstruations-probleme	Ablehnung der eigenen Weiblichkeit. Schuldgefühle, Angst. Glaube, dass die Geschlechtsorgane sündhaft oder schmutzig seien.
Migräne	Abneigung, getrieben zu sein. Widerstand gegen den Fluss des Lebens. Sexuelle Ängste. (Können meist durch Masturbation aufgelöst werden.)
Milz	Besessen. Verhaftet. Von etwas besessen sein.
Mitesser	Gefühl, schmutzig und ungeliebt zu sein.
Morbus Huntington	Verbitterung darüber, andere Menschen nicht kontrollieren zu können. Hoffnungslosigkeit.
Mukoviszidose	Der törichte Glaube, das Leben sei nichts für mich. Ich Armer!
Multiple Sklerose	Mentale Härte. Hartherzigkeit, eiserner Wille, Unnachgiebigkeit. Angst.
Mundgeruch	Schlechte Einstellung, übles Nachreden, verdorbenes Denken.
Mundprobleme	Starre Meinungen. Verschlossenheit. Unfähigkeit, neue Ideen aufzunehmen.
Mundschleimhaut-geschwüre	Schwärende Worte, von den Lippen zurückgehalten. Vorwürfe.

Göttlicher Friede und Harmonie umgeben und erfüllen mich. Ich bin eine Oase des Friedens und der Liebe und Freude. Alles ist gut in meiner Welt.

Ich akzeptiere meine ganze Kraft als Frau und alle Vorgänge in meinem Körper als normal und natürlich. Ich liebe und akzeptiere mich.

Ich entspanne mich im Strom des Lebens und lasse das Leben leicht und bequem für alles sorgen, was ich brauche. Das Leben ist für mich.

Ich liebe und akzeptiere mich. Ich bin liebevoll und liebenswert.

Ich liebe und akzeptiere mich. Ich bin liebevoll und liebenswert.

Ich lasse los und überlasse die Kontrolle dem Universum. Ich bin in Frieden mit mir und dem Leben.

Das Leben liebt mich, und ich liebe das Leben. Ich entschließe mich, das Leben voll, ganz und frei anzusehen.

Durch die Wahl von liebevollen, freudvollen Gedanken erschaffe ich eine liebevolle, freudvolle Welt. Ich bin in Sicherheit und frei.

Ich spreche freundlich und liebevoll. Ich atme nur Gutes aus.

Neue Vorstellungen und Gedanken heiße ich willkommen und bereite sie für die Aufnahme und Verdauung vor.

Ich erzeuge nur freudige Erfahrungen in meiner liebevollen Welt.

Problem	Wahrscheinliche Ursache
Nacken (Halswirbelsäule)	Steht für Flexibilität. Die Fähigkeit, nach hinten zu schauen.
Nackenprobleme	Weigerung, andere Seiten einer Angelegenheit zu betrachten. Sturheit, Unbeweglichkeit, Hartnäckigkeit.
Narkolepsie	Schafft es nicht. Extreme Angst. Möchte vor allem davonlaufen. Will nicht hier sein.
Nase	steht für Selbsterkenntnis.
Nase (blutet)	Verlangen nach Anerkennung. Fühlt sich übersehen und nicht anerkannt. Schreit nach Liebe.
Nägel	stehen für Schutz.
Nägelkauen	Frustration. Nagt das Selbst ab. Trotz gegen Elternteil.
Nebenhöhlen-probleme (Sinusitis)	Gereiztheit über eine nahestehende Person.
Nebennieren-probleme	Defätismus. Kümmert sich nicht mehr um sich selbst. Furchtsamkeit.
Nerven	stehen für Kommunikation. Empfängliche Berichterstatter.
Nerven-zusammenbruch	Egozentrik. Versperren der Kommunikationswege.
Nervosität	Angst, Furchtsamkeit, Kampf, Hetze. Traut nicht dem Prozess des Lebens.
Nesselausschlag	Kleine, versteckte Ängste. Macht aus einer Mücke einen Elefanten.

Ich lebe friedvoll, flexibel und froh.

Mit Flexibilität und Leichtigkeit betrachte ich alle Seiten einer Sache. Es gibt unendlich viele verschiedene Möglichkeiten, etwas zu tun und zu sehen. Ich bin in Sicherheit.

Ich baue auf die göttliche Weisheit und Führung, die mich jederzeit schützen. Ich bin in Sicherheit.

Ich erkenne meine eigene intuitive Fähigkeit.

Ich liebe und akzeptiere mich. Ich erkenne meinen eigenen wahren Wert. Ich bin wunderbar.

Ich greife in Sicherheit aus.

Es ist gut, groß und erwachsen zu werden. Ich nehme mein Leben jetzt mit Freude und Leichtigkeit in die Hand.

Frieden und Harmonie erfüllen und umgeben mich jederzeit. Alles ist gut.

Ich liebe und akzeptiere mich. Es ist gut, wenn ich für mich selbst sorge.

Ich kommuniziere mit Leichtigkeit und Freude.

Ich öffne mein Herz und schaffe ausschließlich liebevolle Kommunikationsformen. Ich bin in Sicherheit, es geht mir gut.

Ich bin auf einer endlosen Reise durch die Ewigkeit, und es steht reichlich Zeit zur Verfügung. Ich kommuniziere mit meinem Herzen. Alles ist gut.

Ich bringe Frieden in jede Ecke meines Lebens.

Problem	Wahrscheinliche Ursache
Neuralgie	Bestrafung für Schuld. Schmerzvolle Kommunikationsprobleme.
Nierenentzündung	Überreaktion auf Enttäuschung und Versagen.
Nierenprobleme	Kritik, Enttäuschung, Versagen. Scham. Reagiert wie ein kleines Kind.
Nieren-schrumpfung	Gefühl, wie ein Kind etwas »nicht recht« oder »nicht gut genug« zu machen. Versagen. Verlust.
Ohnmachtsanfall	Angst. Schaffe es nicht. Steige aus.
Ohren	stehen für die Fähigkeit zu hören.
Ohrenschmerzen (Otitis)	Wut. Will nicht hören. Zu viel Durcheinander. Eltern streiten.
Osteomyelitis (s. Knochen-probleme)	Wut und Frustration über das Grund-gerüst des Lebens. Fühlt sich nicht unterstützt.
Osteoporose (s. Knochen-probleme)	Das Gefühl, im Leben keinerlei Unter-stützung mehr zu erfahren.
Ödem	Was oder wen willst du nicht loslassen?
Parkinsonsche Krankheit	Angst und ein starkes Verlangen, über alles und jeden Kontrolle auszuüben.
Parodontose	Wut über die Unfähigkeit, Entschei-dungen zu treffen. Unentschlossenheit.

Neues Gedankenmuster

Ich vergebe mir. Ich liebe und akzeptiere mich. Ich teile mich liebevoll mit.

Nur das Richtige geschieht in meinem Leben. Ich lasse das Alte los und heiße das Neue willkommen.

Göttlich-Richtiges geschieht überall in meinem Leben. Nur Gutes erwächst mir aus jeder Erfahrung. Es ist gut, groß zu werden.

Ich liebe und akzeptiere mich. Ich kümmere mich um mich selbst. Ich bin jederzeit jeder Situation gewachsen.

Ich habe Kraft, Stärke und Wissen, alles in meinem Leben zu bewältigen.

Ich höre mit Liebe.

Harmonie umgibt mich. Ich lausche mit Liebe dem Angenehmen und Guten. Ich bin ein Mittelpunkt der Liebe.

Ich bin in Frieden mit und voll Vertrauen in den Prozess des Lebens. Ich bin in Sicherheit und geborgen.

Ich stehe für mich selbst ein, und das Leben unterstützt mich auf überraschende und liebevolle Weise.

Ich lasse die Vergangenheit bewusst los. Es ist gut für mich, loszulassen. Jetzt bin ich frei.

Ich entspanne mich in dem Wissen, dass ich in Sicherheit bin. Das Leben sorgt für mich, und ich vertraue auf den Prozess des Lebens.

Ich akzeptiere mich, und meine Entscheidungen sind immer richtig für mich.

Problem	Wahrscheinliche Ursache
Pocken, Pusteln	Kleine, versteckte Ängste. Aus einer Mücke einen Elefanten machen.
Polypen	Spannungen und Streit in der Familie. Kind fühlt sich nicht willkommen und meint, den Eltern im Wege zu stehen.
Prämenstruelles Syndrom (PMS)	Überlässt der Verwirrung das Feld. Überlässt äußeren Einflüssen die Macht. Lehnt die weiblichen Lebensprozesse ab.
Prostata	steht für das maskuline Prinzip.
Prostata (Probleme)	Mentale Ängste schwächen die Männlichkeit. Aufgeben. Sexueller Druck und Schuldgefühle. Glaube an das Altern.
Psoriasis	Angst, verletzt zu werden. Abtöten des Selbstempfindens. Weigert sich, die Verantwortung für die eigenen Empfindungen anzunehmen.
Quetschungen	Die kleinen Schläge und Stöße im Leben. Selbstbestrafung.
Rachitis	Emotionale Unterernährung. Mangel an Liebe und Sicherheit.
Rechte Körperseite	Geben, Loslassen, männliche Energie, Männer, der Vater.
Reisekrankheit	Angst. Angst, sich nicht mehr unter Kontrolle zu haben.
Reisekrankheit (im Auto)	Angst. Bindung. Gefühl, gefangen zu sein.

Neues Gedankenmuster

Ich schließe Frieden mit den kleinen Dingen des Lebens.

Dieses Kind ist gewollt und willkommen und geliebt.

Ich übernehme jetzt selbst die Verantwortung für mein Denken und Leben. Ich bin eine kraftvolle, dynamische Frau! Jeder Teil meines Körpers funktioniert perfekt. Ich liebe mich.

Ich akzeptiere meine Männlichkeit und freue mich an ihr.

Ich liebe und akzeptiere mich. Ich akzeptiere meine eigene Kraft. Ich bin im Geiste immer jung.

Ich bin offen für die Freuden des Lebens. Ich verdiene und akzeptiere das Allerbeste im Leben. Ich liebe und akzeptiere mich.

Ich liebe und mag mich. Ich bin sanft und freundlich zu mir. Alles ist gut.

Ich fühle mich sicher, und ich werde von der Liebe des Universums genährt.

Ich bringe meine männliche Energie leicht und mühelos ins Gleichgewicht.

Ich habe meine Gedanken immer unter Kontrolle. Ich bin in Sicherheit. Ich liebe und akzeptiere mich.

Ich bewege mich mit Leichtigkeit durch Zeit und Raum, Nur Liebe umgibt mich.

Problem	Wahrscheinliche Ursache
Reisekrankheit (zur See)	Furcht. Todesangst. Verlust der Beherrschung.
Rheumatismus	Fühlt sich schikaniert. Mangel an Liebe. Chronische Verbitterung. Groll.
Ringelflechte	Du lässt zu, dass andere dir unter die Haut gehen. Du fühlst dich nicht gut oder sauber genug.
Rücken	steht für die Unterstützung im Leben.
Rückenprobleme (Mitte)	Schuldgefühle. Bleibt an »all dem Zeug da hinten« hängen.
Rückenprobleme (oben)	Mangel an emotionaler Unterstützung. Fühlt sich ungeliebt, hält selbst Liebe zurück.
Rückenprobleme (unten)	Geldsorgen. Mangel an finanzieller Unterstützung.
Schambein	steht für Schutz.
Schamhaar	steht sowohl für Anziehungskraft als auch für Verbergen. Weder Kinder noch Alte haben Schamhaar.
Scheidenkatarrh	Wut auf den Partner. Sexuelle Schuldgefühle. Selbstbestrafung.
Schilddrüse	Demütigung. »Ich bekomme nie das zu tun, was ich tun will. Wann komme ich endlich an die Reihe?«
Schilddrüse (Überfunktion)	Wut darüber, zu kurz zu kommen oder übergangen zu werden.
Schilddrüse (Unterfunktion)	Selbstaufgabe. Fühlt sich hoffnungslos am Selbstausdruck gehindert, geradezu erstickt.

Neues Gedankenmuster

Ich bin völlig sicher im Universum. Ich bin überall in Frieden. Ich vertraue dem Leben.

Ich erzeuge meine Erlebnisse selbst. So, wie ich mich selbst und andere liebe und annehme, werden meine Erfahrungen besser und besser.

Ich liebe und akzeptiere mich. Kein Mensch, kein Ort und kein Ding haben Gewalt über mich. Ich bin frei.

Ich weiß, dass das Leben immer hinter mir steht.

Ich lasse die Vergangenheit los. Ich bin frei, mich liebenden Herzens voranzubewegen.

Ich liebe und akzeptiere mich. Das Leben unterstützt und liebt mich.

Ich vertraue dem Prozess des Lebens. Für alles, was ich brauche, ist immer gesorgt. Ich bin in Sicherheit.

Meine Sexualität ist sicher.

Andere spiegeln die Liebe und Anerkennung wider, die ich für mich selbst empfinde. Ich freue mich über meine Sexualität.

Ich lasse die alten Begrenzungen hinter mir und gestatte mir einen freien und schöpferischen Selbstausdruck.

Ich bin im Zentrum des Lebens. Ich wertschätze mich selbst und alles, was ich sehe.

Ich erschaffe mir ein neues Leben mit neuen Regeln, die mich selbst perfekt unterstützen.

Problem	Wahrscheinliche Ursache
Schlaflosigkeit	Angst. Traut nicht dem Prozess des Lebens. Schuldgefühle.
Schlaganfall	Aufgeben. Widerstand. »Lieber sterben, als sich verändern.« Ablehnung des Lebens.
Schleimbeutel-entzündung	Unterdrückte Wut, die jemanden treffen will.
Schmerz	Schuldgefühl. Schuld sucht immer nach Bestrafung.
Schnarchen	Sture Weigerung, alte Verhaltens- und Denkmuster loszulassen.
Schultern	stehen für unsere Fähigkeit, die Lebenserfahrungen freudig zu tragen.
Schultern hängend	Schwer tragen an der Last des Lebens. Hilf- und hoffnungslos.
Schulterbeschwerden	Tragen einer Last, überlastet.
Schwellung	Im Denkprozess hängen geblieben. Gestaute, schmerzhafte Vorstellungen.
Schwindel	Flüchtige, zerstreute Gedanken. Weigerung, der Realität ins Auge zu blicken.
Selbstmordversuch	Das Leben wird nur schwarz und weiß gesehen. Gefühl der Ausweglosigkeit.
Senilität	Rückkehr in die vermeintliche Sicherheit des Kindesalters. Verlangt Pflege und Aufmerksamkeit. Eine Form der Machtausübung und Kontrolle über die Menschen in der Umgebung. Flucht aus der Wirklichkeit.

Neues Gedankenmuster

Liebevoll lasse ich den Tag hinter mir und gleite in friedlichen Schlaf mit dem Wissen, dass der morgige Tag für sich selbst sorgen wird.

Leben ist Wandlung, und ich passe mich leicht dem Neuen an. Ich nehme das Leben an – Vergangenheit, Gegenwart und Zukunft.

Liebe entspannt und löst alles, was ihrem Wesen nicht entspricht.

Liebevoll lasse ich die Vergangenheit los. Die anderen sind frei, und ich bin frei. Alles ist jetzt gut in meinem Herzen.

Ich löse mich von allem Denken, das nicht Liebe und Freude ist. Ich löse mich von der Vergangenheit und bin bereit für Neues, Frisches, Vitales.

Ich wähle es, dass alle meine Erfahrungen freudig und liebevoll sind.

Ich stehe aufrecht und frei. Ich liebe und akzeptiere mich. Mein Leben wird von Tag zu Tag besser.

Das Leben ist freudvoll und frei; alles, was ich annehme, ist gut.

Meine Gedanken fließen frei und leicht. Ich bewege mich durch Ideen frei und ungehindert.

Ich bin ganz in meiner Mitte und lebe in Frieden. Es ist gut, dass ich am Leben und voll Freude bin.

Ich lebe in der Fülle aller Möglichkeiten. Es gibt immer einen anderen Weg. Ich bin sicher und geborgen.

Göttlicher Schutz. Sicherheit. Frieden. Die Intelligenz des Universums wirkt auf jeder Ebene des Lebens.

Problem	Wahrscheinliche Ursache
Sichelzellanämie	Glaube, dass man nicht gut genug sei, zerstört die Freude am Leben.
Sklerodermie	Versuch, sich vor dem Leben zu schützen. Mangelndes Vertrauen in die eigene Lebensfähigkeit.
Sodbrennen	Angst, Angst, Angst. Erdrückende Angst.
Soor (s. Candidose, Hefepilzinfektionen)	Wut darüber, falsche Entscheidungen getroffen zu haben.
Steifer Nacken	Unbeugsame Hartnäckigkeit.
Steifigkeit	Steifes, starres Denken.
Stottern	Unsicherheit. Mangel an Selbstausdruck. Darf nicht schreien.
Süchte	Vor sich selbst davonlaufen. Angst. Sich nicht zu lieben wissen.
Syphilis (s. Geschlechtskrankheiten)	Die eigene Macht und Gestaltungskraft an andere abgeben.
Taubheit (Empfindungslosigkeit)	Liebe oder Beachtung zurückhalten. Mental absterben.
Taubheit (Ohren)	Zurückweisung, Starrköpfigkeit, Isolation. Was willst du nicht hören? »Lass mich in Ruhe.«
Teilnahmslosigkeit (s. Apathie)	

Neues Gedankenmuster

Dieses Kind lebt und atmet die Freude am Leben;
es wird von Liebe genährt und erhalten. Gott wirkt
jeden Tag Wunder.

Ich entspanne mich völlig, denn nun weiß ich, dass ich
geborgen bin. Ich vertraue auf das Leben und auf mich.

Ich atme frei und tief. Ich bin sicher. Ich vertraue dem
Prozess des Lebens.

Ich akzeptiere meine Entscheidungen liebevoll und weiß,
dass ich frei bin, mich zu ändern.

Es ist gut, auch andere Gesichtspunkte zu betrachten.

Ich besitze genug Sicherheit, um in meinem Denken flexibel
sein zu können.

Ich habe die Freiheit, für mich selbst zu sprechen. Ich bin jetzt
sicher in meinem Ausdruck. Ich teile mich liebevoll mit.

Ich entdecke jetzt, wie wunderbar ich bin. Ich beschließe,
mich zu lieben und Freude zu genießen.

Ich entscheide mich dafür, ich selbst zu sein. Ich akzeptiere
mich so, wie ich bin.

Ich teile meine Gefühle und meine Liebe mit. Ich spreche
auf die Liebe in jedem an.

Ich lausche dem Göttlichen und freue mich über alles,
was ich hören kann. Ich bin eins mit allem.

Problem	Wahrscheinliche Ursache
Tinnitus	Weigerung, zu lauschen. Hört nicht die innere Stimme. Verbohrtheit.
Tollwut	Wut. Überzeugung, dass Gewalt die Lösung sei.
Tuberkulose	Verzehrt sich vor Ichbezogenheit. Besitzergreifend. Gedanken der Grausamkeit und Rache.
Tumore	Pflegt alte Verletzungen und Schocks. Gewissensbisse.
Unfälle	Unvermögen, für sich selbst einzutreten. Auflehnung gegen Autorität. Glaube an Gewalt als Mittel.
Unfruchtbarkeit	Angst und Widerstand gegen den Prozess des Lebens – *oder* keine Notwendigkeit, durch die Erfahrungen der Elternschaft zu gehen.
Unheilbar krank	Kann in dieser Phase nicht durch äußere Mittel geheilt werden. Wir müssen nach *innen* gehen, um eine Heilung zu bewirken. Es kam von nirgendwo und wird sich nach nirgendwo zurückziehen.
Übelkeit	Angst. Ablehnung einer Idee oder Erfahrung.
Übergewicht	Angst. Schutzbedürfnis. Läuft vor seinen Gefühlen davon. Unsicherheit, Selbstablehnung. Sucht Erfüllung.

Neues Gedankenmuster

Ich vertraue meinem höheren Selbst. Ich lausche liebevoll meiner inneren Stimme. Ich lasse alles los, was nicht der Liebe entspricht.

Ich bin umgeben und erfüllt von Frieden.

Indem ich mich liebe und akzeptiere, erschaffe ich eine freudige, friedliche Welt, in der ich leben kann.

Liebevoll löse ich mich von der Vergangenheit und richte meine Aufmerksamkeit auf diesen neuen Tag.
Alles ist gut.

Ich löse mich innerlich von dem Muster, das hierzu geführt hat. Ich bin in Frieden. Ich bin es wert.

Ich vertraue in den Prozess des Lebens. Ich bin immer am richtigen Ort und tue das Richtige zur rechten Zeit.
Ich liebe und akzeptiere mich.

Wunder geschehen jeden Tag. Ich gehe nach innen, um das Muster aufzulösen, das zu diesem Zustand geführt hat, und ich nehme eine göttliche Heilung an. So ist es!

Ich bin in Sicherheit. Ich vertraue darauf, dass mir das Leben nur Gutes bringt.

Ich bin in Frieden mit meinen Gefühlen und Empfindungen. Ich bin in Sicherheit, wo ich bin. Ich schaffe mir meine Sicherheit selbst. Ich liebe und akzeptiere mich.

Problem	Wahrscheinliche Ursache
Venenentzündung	Wut und Frustration. Beschuldigt andere wegen Enge und mangelnder Freude im eigenen Leben.
Verbrennungen	Wut. Entflammt sein, aufgezehrt werden.
Verbrennungen (durch Flüssigkeiten)	Wut, Überkochen.
Verdauungs-störungen	Furcht, Schrecken, Ängstlichkeit auf Bauchebene. Fesselnd und stöhnend.
Verstauchung	Zorn und Widerstand. Will im Leben nicht in eine bestimmte Richtung gehen.
Verstopfung	Weigerung, von alten Vorstellungen abzulassen. Bleibt in der Vergangenheit stecken. Manchmal auch Geiz.
Vitiligo (Weiß-fleckenkrankheit)	Gehöre zu niemandem, fühle mich ganz und gar ausgeschlossen, nicht als Mitglied einer Gruppe.
Vulva	steht für Verletzlichkeit.
Wahnsinn	Flucht vor der Familie. Fluchtversuch, Rückzug. Gewaltsame Trennung vom Leben.
Warzen	Kleine Ausdrucksformen des Hasses, Glaube an Hässlichkeit.
Wassersucht	Wen oder was möchtest du nicht gehen lassen?

Neues Gedankenmuster

Freude strömt frei durch mich, und ich bin mit dem Leben in Frieden.

Ich erzeuge nur Frieden und Harmonie in mir und in meiner Umgebung. Ich verdiene, mich wohlzufühlen.

Ich lasse alle Wut und allen Ärger los.

Ich kann alle neuen Erfahrungen leicht und freudig in mich aufnehmen und verdauen.

Ich vertraue darauf, dass das Leben mich dem höchsten Ziel entgegenführen wird. Ich bin in Frieden.

Wenn ich die Vergangenheit loslasse, kann Neues, Frisches und Vitales in mein Leben treten. Ich lasse das Leben durch mich fließen.

Ich bin im Zentrum des Lebens und ganz und gar in Liebe verbunden.

Es ist gut, verletzlich zu sein.

Dieses Menschen Geist kennt seine wahre Identität und ist ein schöpferischer Punkt göttlichen Selbstausdrucks.

Ich bin vollkommener Ausdruck der Liebe und Schönheit des Lebens.

Ich bin bereit, mich von meiner Vergangenheit zu lösen. Ich bin sicher und frei.

Problem	Wahrscheinliche Ursache
Wechseljahres-probleme	Angst, nicht mehr begehrt zu werden. Selbstablehnung. Angst vor dem Altern.
Weinen	Tränen sind der Bach des Lebens; sie werden aus Freude, aus Traurigkeit und aus Angst vergossen.
Weisheitszahn, impaktiert	Gewährt keinen mentalen Raum, um eine feste Grundlage zu schaffen.
Weißfluss	Überzeugung, Frauen hätten über das andere Geschlecht keine Macht. Wut auf einen Gefährten.
Wirbelsäule	Flexible Stütze des Lebens.
Wirbelsäule (verkrümmt, Skoliose)	Unfähigkeit, sich vom Leben unterstützen zu lassen. Angst und Versuch, an alten Ideen festzuhalten. Kein Vertrauen ins Leben. Mangel an Integrität. Kein Mut zu Überzeugungen.
Wucherungen	Pflegt alte Verletzungen. Baut Groll auf.
Wundstarrkrampf	Notwendigkeit, ärgerliche und krank machende Gedanken loszulassen.
Zahnfleischbluten	Mangelnde Entscheidungsfreude.
Zahnfleisch-probleme	Unfähigkeit, zu seinen Entscheidungen zu stehen. Unschlüssigkeit.
Zähne	stehen für Entscheidungen.

Ich bin bei allen Wechseln der Zyklen ausgeglichen und
in Frieden und ich segne meinen Körper mit Liebe.

Ich bin mit allen meinen Emotionen in Frieden. Ich liebe
und akzeptiere mich.

Ich öffne mein Bewusstsein der Entfaltung des Lebens.
Es gibt genügend Raum für mich, um zu wachsen und
mich zu wandeln.

Ich bin es, die alle meine Erfahrungen erschafft.
Ich bin die Macht. Ich erfreue mich meiner Weiblichkeit.
Ich bin frei.

Das Leben unterstützt mich.

Ich lasse alle Ängste los. Ich vertraue jetzt dem Prozess
des Lebens. Ich weiß, dass das Leben auf meiner Seite ist.
Voller Liebe stehe ich gerade und aufrecht.

Mit Leichtigkeit vergebe ich. Ich liebe mich und belohne mich
mit Lobgedanken.

Ich erlaube der Liebe aus meinem Herzen, mich zu läutern
und jeden Teil meines Körpers und Fühlens zu reinigen,
zu klären und zu heilen.

Ich vertraue darauf, dass in meinem Leben immer das Richtige
unternommen wird. Ich bin in Frieden.

Ich treffe meine Entscheidungen selbst. Ich halte mich
an sie und unterstütze mich selbst durch Liebe.

Problem	Wahrscheinliche Ursache
Zehen	stehen für die kleineren Einzelheiten der Zukunft.
Zehennagel, eingewachsen	Sorge und Schuldgefühle in Bezug auf dein Recht, voranzuschreiten.
Zellulitis	Aufgestaute Wut und Selbstbestrafung.
Zysten	Eine Wiederholung des alten Schmerzmusters. Verletzungen aus der Kleinkinderzeit. Ein falsches Gewächs.

Neues Gedankenmuster

Alle Details ergeben sich von selbst.

Es ist mein gottgegebenes Recht, meine Richtung im Leben
selbst zu bestimmen. Ich bin sicher. Ich bin frei.

Ich verzeihe anderen. Ich verzeihe mir selbst. Ich bin frei,
zu lieben und das Leben zu genießen.

Die alten Muster meines Denkens sind so mächtig,
weil ich ihnen Macht gebe. Ich liebe mich.

In der Unendlichkeit des Lebens, dort, wo ich bin,
ist alles heil und vollkommen.

✳

Ich akzeptiere vollkommene Gesundheit als
einen natürlichen Zustand meiner Existenz.

✳

Ich löse mich jetzt bewusst von jedem geistigen
Denkmuster, das als Unwohlsein irgendeiner Art
bezeichnet werden könnte.

✳

Ich liebe und erkenne mich selbst an.

✳

Ich liebe und erkenne meinen Körper an.

✳

Ich gebe ihm nahrhaftes Essen und Getränke.

✳

Ich trainiere ihn so, dass es Freude macht.

✳

Ich erkenne das wunderbare und großartige
Potenzial meines Körpers und empfinde es als Privileg,
in ihm leben zu können.

✳

Ich liebe es, viel Energie zu haben.
Alles ist gut in meiner Welt.

Neue Gedankenmuster

GESICHT
(Akne) Ich liebe und akzeptiere mich genau dort, wo ich jetzt bin. Ich bin wunderbar.

GEHIRN
Alles im Leben ist Wandel. Meine Entwicklungsmuster sind immer wieder neu und frisch.

NEBENHÖHLEN
Ich bin eins mit allem Leben. Niemand hat die Macht, mich zu stören, außer ich lasse es zu. Friede, Harmonie. Ich weise jeden Glauben an die Vergänglichkeit zurück.

AUGEN
Ich bin frei. Ich sehe frei nach vorne, weil das Leben ewig und von Freude erfüllt ist. Ich betrachte alles mit liebevollem Blick. Niemand kann mich je verletzen.

HALS
Ich kann für mich selbst sprechen. Ich drücke mich frei aus. Ich bin schöpferisch. Ich spreche in Liebe.

LUNGE
Die Lebensluft strömt mit Leichtigkeit durch mich. (Bronchitis): Friede. Niemand kann mich stören. (Asthma): Ich bin frei und kann die Verantwortung für mich selbst übernehmen.

HERZ
Freude, Liebe, Frieden. Voller Freude akzeptiere ich das Leben.

LEBER
Ich lasse von allem, was ich nicht mehr benötige, ab. Mein Bewusstsein ist jetzt gereinigt, meine Vorstellungen sind frisch, neu und voller Leben.

DICKDARM
Ich bin frei; ich löse mich von der Vergangenheit. Das Leben durchströmt mich mit Leichtigkeit. (Hämorriden:) Ich löse mich von jeglichem Druck und allen Belastungen. Ich lebe in der erfreulichen Gegenwart.

GENITALIEN
(Impotenz:) Macht. Ich lasse es zu, dass meine gesamte Sexualität mir Wohlbefinden und Freude bereitet. Ich akzeptiere liebevoll und freudig meine Sexualität. Es gibt keine Schuld und keine Strafe.

KNIE
Vergebung, Toleranz, Mitgefühl. Ich bewege mich vorwärts, ohne zu zögern.

HAUT
Ich werde auf positive Weise beachtet. Ich bin sicher und geborgen. Niemand bedroht meine Individualität. Ich lebe in Frieden. Die Welt ist sicher und freundlich. Ich löse mich von jedem Ärger. Was immer ich benötige, wird auch vorhanden sein. Ich akzeptiere mein Gutes ohne Schuldgefühle. Ich bin auch mit allen kleinen Dingen des Lebens zufrieden.

RÜCKEN
Das Leben selbst unterstützt mich. Ich vertraue dem Universum. Ich gebe ungehemmt Liebe und Vertrauen.
Unterer Teil des Rückens: Ich vertraue dem Universum. Ich bin mutig und unabhängig.

KOPF
Friede, Liebe, Freude, Entspannung. Ich entspanne mich in den Lebensstrom hinein und lasse das Leben mit Leichtigkeit durch mich hindurchströmen.

OHREN
Ich höre Gott. Ich höre die Freuden des Lebens. Ich bin Teil des Lebens. Ich höre in Liebe.

MUND
Ich bin ein entscheidungsfreudiger Mensch. Ich halte durch. Ich begrüße neue Gedanken und Vorstellungen.

NACKEN
Ich bin beweglich. Ich begrüße andere Meinungen.

SCHULTERN
(Schleimbeutelentzündung:) Ich löse mich auf harmlose Art von jedem Ärger und Verdruss. Liebe befreit und entspannt. Das Leben ist voller Freude und Freiheit; alles, was ich akzeptiere, ist gut.

HÄNDE
Ich gehe mit allen Gedanken liebevoll und zwanglos um.

FINGER
Ich bin entspannt, weil ich weiß, dass die Weisheit des Lebens sich aller Einzelheiten annimmt.

MAGEN
Ich gewöhne mich schnell an neue Gedanken. Das Leben stimmt mir zu; nichts kann mich stören. Ich bin gelassen.

NIEREN
Ich suche überall nur nach Gutem. Meine Vorgehensweise ist die richtige. Ich bin zufrieden.

BLASE
Ich löse mich von Altem und begrüße das Neue.

BECKEN
(Vaginitis:) Formen und Wege mögen sich verändern, aber die Liebe bleibt erhalten. Menstruation: Ich bin in allen Zyklen des Lebens ausgeglichen. Ich segne voller Liebe meinen Körper. Alle Bereiche meines Körpers sind wunderschön.

HÜFTEN
Ich bewege mich voller Freude vorwärts, weil ich von der Macht des Lebens unterstützt und versorgt werde. Ich bewege mich auf mein höchstes Gutes zu. Ich bin sicher. Arthritis: Liebe, Vergebung. Ich lasse andere sie selbst sein und bin frei.

DRÜSEN
Ich bin völlig ausgeglichen. Mein System ist in Ordnung. Ich liebe das Leben und bewege mich ungehindert.

FÜSSE
Ich habe Vertrauen. Ich bewege mich mit Freude vorwärts. Ich habe seelisches Verständnis.

Neue Gedankenmuster
(positive Affirmationen)
können Ihren Körper heilen
und entspannen.

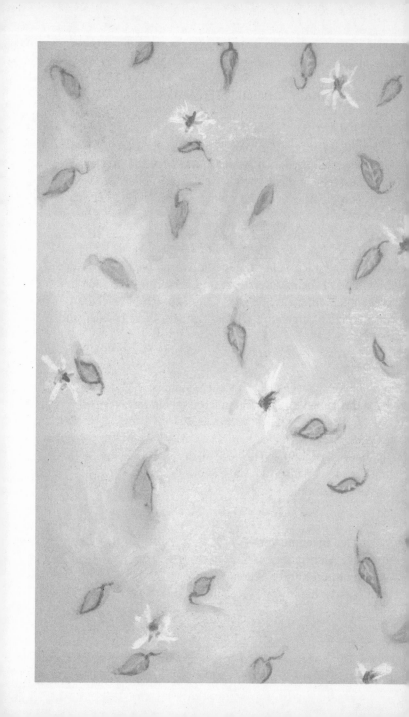

Teil 4

16

Meine Geschichte

» *Wir sind alle eins.* «

»Würden Sie mir bitte kurz etwas über Ihre Kindheit erzählen?« Diese Frage habe ich schon so vielen Menschen gestellt, die mich um Hilfe baten. Ich muss nicht alle Einzelheiten erfahren, aber ich möchte einen allgemeinen Eindruck erhalten, woher sie kommen. Wenn sie heute Probleme haben, sind die zugrunde liegenden Muster schon vor langer Zeit entstanden.

Als kleines Mädchen von achtzehn Monaten erlebte ich, wie meine Eltern sich scheiden ließen. Das habe ich gar nicht in so schlechter Erinnerung. Mit Schrecken erinnere ich mich aber daran, dass meine Mutter anschließend als Haushälterin arbeitete und mich bei einer fremden Familie in Pflege gab. Mir wurde erzählt, ich hätte drei Wochen pausenlos geweint. Meine Pflegeeltern kamen damit nicht klar, sodass meine Mutter gezwungen war, mich wieder zu sich

zu holen und eine andere Lösung zu finden. Heute bewundere ich, wie meine Mutter ihre Situation als Alleinerziehende bewältigt hat. Damals jedoch wusste und spürte ich nur, dass ich nicht mehr die frühere liebevolle Zuwendung erhielt.

Ich habe nie herausgefunden, ob meine Mutter meinen Stiefvater wirklich liebte oder ob sie ihn nur heiratete, um uns ein Zuhause zu schaffen. Jedenfalls war das keine gute Entscheidung. Dieser Mann war in Europa in einer schwermütigen deutschen Familie aufgewachsen, in der es viel Brutalität gab; einen anderen familiären Umgang hatte er nie kennengelernt. Meine Mutter brachte meine Schwester zur Welt, und dann brach die Wirtschaftskrise der Dreißigerjahre über uns herein. Ich war inzwischen fünf Jahre alt und lebte in einem Haushalt, wo ständige Gewalt zum Alltag gehörte.

In dieser Situation geschah es dann noch, dass ich von einem Nachbarn, einem alten Alkoholiker, vergewaltigt wurde.

Die ärztliche Untersuchung habe ich noch in lebhafter Erinnerung, ebenso den Prozess, in dem ich als Hauptbelastungszeugin aussagen musste. Der Mann wurde zu fünfzehn Jahren Gefängnis verurteilt. Wiederholt sagte man mir: »Du bist selbst schuld daran.« Also lebte ich jahrelang in Angst, dass er eines Tages kommen und sich an mir rächen würde, weil ich ihn ins Gefängnis gebracht hatte.

Während des größten Teils meiner Kindheit musste ich sowohl Gewalt als auch sexuellen Missbrauch erdulden. Und ich musste sehr schwer körperlich arbeiten. Meine Selbstachtung wurde immer geringer, und in meinem Leben schien so ziemlich alles zu misslingen. Ich fing an, mich immer mehr diesem Muster entsprechend zu verhalten.

In meinem vierten Schuljahr gab es ein für mein damaliges Leben sehr typisches Erlebnis. Eines Tages gab es in der Klasse eine Feier, bei der mehrere Kuchen verteilt wurden. Die meisten Kinder in dieser Schule, ich ausgenommen, stammten aus wohlhabenden Mittelklassefamilien. Ich dagegen war ärmlich gekleidet, hatte einen lächerlichen Topfhaarschnitt, hässliche altmodische Schuhe und stank nach rohem Knoblauch, den ich täglich essen musste, »um die Würmer fernzuhalten«. Bei uns gab es niemals Kuchen; das

konnten wir uns nicht leisten. Eine alte Nachbarin schenkte mir jede Woche zehn Cent und einen Dollar an meinem Geburtstag und zu Weihnachten. Die zehn Cent wanderten sofort in die Haushaltskasse, und für den Dollar kaufte meine Mutter mir Billigunterwäsche für ein Jahr.

Bei dieser Feier in der Schule gab es also jede Menge Kuchen, aber etliche von den Kindern, die zu Hause sowieso täglich Kuchen essen konnten, bekamen zwei oder drei Stücke. Als der Lehrer schließlich zu mir kam (ich war natürlich zuletzt an der Reihe), war kein Kuchen mehr übrig. Nicht ein einziges Stück.

Heute weiß ich, dass es meine »bereits bestätigte Überzeugung« war, wertlos zu sein und nichts Gutes zu *verdienen*, die bewirkte, dass ich damals beim Kuchen leer ausging. Es war *mein* Muster. *Sie*, die anderen Schüler und der Lehrer, dienten nur als Spiegel für meine innere Einstellung.

Im Alter von fünfzehn Jahren konnte ich den sexuellen Missbrauch nicht länger ertragen und lief von zu Hause und der Schule weg. Ich fand einen Job als Kellnerin, der mir viel leichter schien als die schwere Hofarbeit, die ich zu Hause verrichten musste.

Ich hungerte nach Liebe und Zuneigung und besaß kaum Selbstwertgefühl. Also schenkte ich meinen Körper jedem, der nett zu mir war. Kurz nach meinem sechzehnten Geburtstag brachte ich ein Mädchen zur Welt. Ich fühlte, dass ich dieses Kind unmöglich behalten konnte, es gelang mir aber, ihm ein gutes, liebevolles Zuhause zu verschaffen – ein kinderloses Ehepaar, das sich nach einem Baby sehnte. Ich wohnte während der letzten vier Schwangerschaftsmonate bei ihnen, und als ich zur Entbindung ins Krankenhaus ging, bekam ich das Kind unter ihrem Namen.

Unter diesen Umständen erlebte ich nie die Freuden der Mutterschaft ... nur Verlust, Scham und Schuldgefühle. Ich erinnere mich nur an die großen Zehen meines Babys, die so ungewöhnlich waren wie meine eigenen. Sollten wir uns jemals begegnen, werde ich meine Tochter an ihren Zehen erkennen. Ich ging fort, als das Kind fünf Tage alt war.

Sofort kehrte ich nach Hause zurück und sagte zu meiner Mutter: »Komm, du musst das nicht länger ertragen. Ich hole dich hier heraus.« Sie kam mit mir und ließ meine zehnjährige Schwester, die immer Papas Liebling gewesen war, beim Vater zurück.

Nachdem ich meiner Mutter geholfen hatte, einen Job in einem kleinen Hotel und ein Apartment zu finden, wo sie frei war und sich wohlfühlte, hielt ich meine Verpflichtungen ihr gegenüber für erfüllt. Ich ging mit einer guten Freundin nach Chicago. Eigentlich wollte ich nur einen Monat wegbleiben – doch ich kehrte über dreißig Jahre lang nicht zurück.

In den ersten Jahren bewirkte die Gewalt, die ich als Kind erlebt hatte, und meine fehlende Selbstachtung, dass ich Männer in mein Leben zog, die mich schlecht behandelten und oft schlugen. Immer wieder geriet ich an diese Sorte

Männer, mochte ich mich auch noch so über sie beklagen. Erst durch positive berufliche Erfahrungen nahm meine Selbstachtung allmählich zu, und die negativen Männer verschwanden aus meinem Leben. Mein altes unbewusstes Muster, Missbrauch zu verdienen, passte nicht mehr zu meinem neuen Selbstwertgefühl. Ich will das Verhalten dieser Männer nicht entschuldigen, aber ich war für sie nur deshalb attraktiv, weil ich dieses alte seelische Muster in mir trug und sie dadurch anzog. Heute nimmt ein Mann, der Frauen missbraucht, von mir gar keine Notiz mehr. Unsere Muster ziehen sich nicht mehr an.

Nach einigen Jahren in Chicago, wo ich ziemlich untergeordnete Arbeit verrichtete, ging ich nach New York und hatte das Glück, dort als Model für exklusive Mode arbeiten zu können. Doch auch dass ich nun für angesehene Modedesigner tätig war, verbesserte mein Selbstwertgefühl nicht wesentlich. Es trug nur dazu bei, dass ich immer neue Fehler an mir entdeckte. Ich weigerte mich, meine eigene Schönheit zu erkennen.

Ich arbeitete viele Jahre in der Modebranche; und ich heiratete einen großartigen, gebildeten englischen Gentleman.

Wir bereisten die ganze Welt, verkehrten in höchsten Adelskreisen und waren sogar bei einem Diner im Weißen Haus zu Gast. Und auch wenn ich erfolgreich als Model arbeitete und mit einem wunderbaren Mann verheiratet war, blieb mein Selbstwertgefühl niedrig, bis ich einige Jahre später mit meiner inneren Arbeit begann.

Nach vierzehn Ehejahren – gerade als ich zu glauben begann, Glück könnte tatsächlich von Dauer sein – eröffnete mir mein Mann, dass er sich scheiden lassen und eine andere Frau heiraten wollte. Ja, ich war am Boden zerstört, aber die Zeit verging, und ich lebte weiter. Ich spürte, wie die Dinge sich veränderten, und eines Tages im Frühling sagte mir ein Numerologe voraus, dass sich in jenem Herbst ein kleines Erlebnis ereignen würde, das mein Leben verändern sollte.

Dieses Ereignis war so klein, dass ich seine Bedeutung erst einige Monate später begriff. Ziemlich zufällig nahm ich in New York an einer Versammlung in der Kirche der Religiösen Wissenschaft teil. Die Botschaften dort waren neu für mich, und eine innere Stimme sagte: »Hör gut zu.« Ich besuchte nicht nur die Sonntagsgottesdienste, sondern nahm auch an ihren wöchentlichen Kursen teil. Ich verlor das Interesse an der Welt der Schönheit und Mode. Wie viele Jahre blieben mir denn noch, um mich mit meinen Taillemaßen und der Form meiner Augenbrauen zu beschäftigen? Aus einer Schulabbrecherin, die nie wirklich ernsthaft etwas gelernt hatte, wurde eine wissbegierige Studentin, die alles verschlang, was mit Metaphysik und Heilkunde zu tun hatte.

Die Kirche der Religiösen Wissenschaft wurde mir ein

neues Zuhause. Zwar ging der größte Teil meines Lebens wie gewohnt weiter, doch dieses neue Studium nahm immer mehr Zeit in Anspruch. Drei Jahre vergingen wie im Fluge, und dann erhielt ich die Möglichkeit, die Prüfung als lizenzierte spirituelle Beraterin der Religiösen Wissenschaft abzulegen. Ich bestand den Test, und so habe ich vor vielen Jahren meine spirituelle Tätigkeit begonnen.

Es war ein bescheidener Anfang. Während dieser Zeit erlernte ich die Transzendentale Meditation. Ich musste ein Jahr warten, ehe meine Kirche wieder einen Ausbildungsgang für Geistliche anbot, und ich beschloss, diese Zeit zu nutzen, um etwas für mich selbst zu tun. Für ein halbes Jahr besuchte ich die MIU, die Maharishi International University in Fairfield, Iowa.

In jener Phase meines Lebens war dieser Ort genau das Richtige für mich. An jedem Montagmorgen nahmen wir uns ein neues Thema vor, von dem ich bislang nur am Rande gehört hatte, darunter Biologie, Chemie und sogar die Relativitätstheorie. Am Ende der Woche, samstagmorgens, gab es eine Prüfung. Der Sonntag war frei, und am Montagmorgen ging es mit einem neuen Thema weiter.

Es gab dort keine der Ablenkungen, die für mein Leben in New York so typisch gewesen waren. Nach dem Abendessen zogen wir uns alle auf unsere Zimmer zurück, um zu lernen. Ich war die älteste Studentin auf dem Campus und genoss jeden Augenblick. Rauchen, Alkohol und Drogen waren verboten, und wir meditierten viermal täglich. An meinem Abreisetag wurde mir vom Zigarettenrauch auf dem Flughafen beinahe schlecht.

Zurück in New York, nahm ich mein vorheriges Leben wieder auf. Bald absolvierte ich das kirchliche Schulungsprogramm für Geistliche. Ich engagierte mich intensiv in der Kirche und ihren sozialen Aktivitäten. Ich fing an, bei den Mittagsversammlungen zu sprechen und Klienten spirituell zu beraten. Daraus entwickelte sich schnell ein Ganztagesjob. Meine Arbeit inspirierte mich dazu, das kleine Buch *Heile Deinen Körper* zusammenzustellen, das zunächst nur ein einfaches Verzeichnis der metaphysischen Ursachen für körperliche Erkrankungen war. Ich hielt erste Vorträge, begann umherzureisen und kleine Kurse abzuhalten.

Dann wurde bei mir eines Tages Krebs diagnostiziert.

Angesichts meiner Vergangenheit, in der ich mit fünf Jahren vergewaltigt und immer wieder geschlagen worden war, verwundert es nicht, dass der Krebs sich im Vaginalbereich manifestierte.

Wie jeder Mensch, der eine solche Diagnose erhält, geriet ich in völlige Panik. Doch aus der Arbeit mit meinen Klienten wusste ich, dass geistige Heilung funktioniert, und hier bekam ich nun also die Gelegenheit, dies selbst unter Beweis zu stellen. Schließlich hatte ich ein Buch geschrieben, das sich mit den geistigen Ursachen von Krankheiten befasste, und ich wusste, dass Krebs eine Krankheit ist, bei

341

der eine tief sitzende Wut und Verbitterung über lange Zeit unterdrückt wurde, bis sie buchstäblich den Körper zerfrisst. Ich hatte mich geweigert, all die Wut und Grollgefühle über das, was »sie« mir in meiner Kindheit angetan hatten, aufzuarbeiten und loszulassen. Jetzt durfte ich keine Zeit mehr verschwenden; eine Menge Arbeit wartete auf mich.

Das Wort *unheilbar*, das für viele Menschen so erschreckend ist, heißt für mich, dass sich dieser besondere Zustand nicht durch äußere Mittel heilen lässt. Wir müssen in unserem eigenen Inneren nach Heilung suchen. Wenn ich den Krebs wegoperieren lassen würde, ohne mich von dem geistigen Muster zu befreien, das ihn hervorgerufen hatte, dann würden die Ärzte immer mehr von Louise wegschneiden müssen, bis schließlich nichts mehr von mir übrig war. Dieser Gedanke gefiel mir ganz und gar nicht.

Wenn ich mich aber operieren ließ, und außerdem das geistige Muster auflöste, das den Krebs verursacht hatte, würde er nicht zurückkehren. Wenn Krebs oder eine andere Krankheit zurückkehrt, liegt das meines Erachtens nicht daran, dass die Ärzte »nicht alles herausgeschnitten haben«, sondern daran, dass der Patient seine Denk- und Glau-

bensmuster nicht geändert hat. Und so erschafft die betroffene Person sich die Krankheit erneut, vielleicht diesmal an einer anderen Stelle im Körper.

Auch glaubte ich, dass ich mich überhaupt nicht operieren lassen musste, wenn es mir gelang, die geistigen Verhaltensmuster zu ändern, durch die dieser Krebs hervorgerufen worden war. Also bat ich um Aufschub, und die Ärzte gewährten mir widerwillig drei Monate, als ich sagte, ich hätte das Geld für die Operation nicht.

Sofort übernahm ich selbst die Verantwortung für meine Heilung. Ich beschaffte mir so viele Informationen wie irgend möglich über alternative Heilmethoden.

Ich ging in Reformhäuser und kaufte alle Bücher zum Thema Krebs. Ich ging in die Bibliothek und las noch mehr. Ich befasste mich mit Reflexzonentherapie und Colon-Therapie und beschloss, beides auszuprobieren. Und scheinbar zufällig liefen mir genau die richtigen Leute über den Weg. Als ich etwas über die Fußreflexzonenmassage gelesen hatte, suchte ich nach einem Therapeuten, der sich mit dieser Methode auskannte. Ich ging zu einem Vortrag, und während ich mich sonst immer in die erste Reihe setzte, verspürte ich diesmal den starken Impuls, mich ganz nach hinten zu setzen. Einen Augenblick später setzte sich ein Mann neben mich – und, ob Sie es glauben oder nicht, er war Fußreflexzonentherapeut, der auch Hausbesuche machte! Zwei Monate lang kam er dreimal pro Woche zu mir, was mir sehr weiterhalf.

Ich wusste, dass ich lernen musste, mich selbst viel mehr zu lieben. In meiner Kindheit hatte ich nur wenig Liebe erfahren, und niemand hatte mir ein gutes Selbstwertgefühl vermittelt. Ich hatte mir die Einstellung der Erwachsenen in meiner Umgebung zu eigen gemacht, die andauernd an mir herumkritisiert hatten. So war mir ständige Selbstkritik zur zweiten Natur geworden.

Durch meine kirchliche Arbeit war ich zu der Einsicht gelangt, dass es völlig in Ordnung war, mich selbst zu lieben und wertzuschätzen. Aber ich schob die Veränderung dieses inneren Musters vor mir her – ganz so wie die Diät, mit der man auf jeden Fall morgen beginnen will, was man doch nie tut. Aber nun konnte ich die Sache nicht mehr aufschieben. Zuerst fiel es mir sehr schwer, mich vor den Spiegel zu stellen und Dinge zu sagen wie: »Louise, ich liebe dich. Ich liebe dich wirklich.« Doch ich blieb hartnäckig. Dank der Spiegelarbeit und anderen Übungen schaffte ich es immer öfter, in Situationen, in denen ich mich früher mit Selbstkritik und Vorwürfen gepeinigt hätte, mir selbst gegenüber liebevoll zu bleiben. Ich machte echte Fortschritte.

Ich wusste, dass ich mich von den alten Mustern der Wut und Verbitterung befreien musste, die sich seit der Kindheit in mir angestaut hatten. Es war unabdingbar, meinen Groll hinter mir zu lassen.

Ja, es lag eine schwere Kindheit voller verbaler und körperlicher Gewalt und sexuellem Missbrauch hinter mir. Aber seitdem waren viele Jahre vergangen, und es gab keine Rechtfertigung dafür, wie ich jetzt mit mir umging. Ich zehrte durch diese Krebserkrankung regelrecht meinen eigenen Körper auf, weil ich nicht vergeben hatte. Es war höchste Zeit, über das, was damals vorgefallen war, hinauszugelangen und zu verstehen, welche eigenen *Erfahrungen* seinerzeit die Erwachsenen dazu gebracht hatten, ein Kind derartig schlecht zu behandeln.

Mithilfe eines guten Therapeuten ließ ich all den aufgestauten Zorn heraus, indem ich auf Kissen einschlug und meine Wut herausschrie. Dadurch fühlte ich mich innerlich gereinigt. Dann setzte ich die Bruchstücke zusammen, die

meine Eltern mir aus ihrer Kindheit erzählt hatten. Ich fing an, ihr Leben aus einem größeren Blickwinkel zu sehen. Durch mein größeres Verständnis und aus der Sicht einer Erwachsenen begann ich, Mitgefühl für ihre Leiden zu empfinden, und die Verbitterung löste sich allmählich auf.

Außerdem suchte ich mir eine gute Ernährungsberaterin, die mir half, meinen Körper von all dem Junkfood zu reinigen und zu entgiften, das ich im Lauf der Jahre gegessen hatte. Ich lernte, dass diese Art der Ernährung den Körper langsam vergiftet. Und genauso vergiften ungesunde Gedanken unseren Geist. Es wurde mir eine strikte Diät verordnet, die hauptsächlich aus grünem Gemüse bestand. Während des ersten Monats erhielt ich außerdem drei Darmspülungen pro Woche.

Ich wurde nicht operiert; sechs Monate nach der Krebsdiagnose blieb den Ärzten nichts anderes übrig, als zuzugeben, dass die gründliche geistige und körperliche Reinigung so erfolgreich gewesen war, wie ich es innerlich bereits gespürt hatte – *es gab in meinem Körper keine Spur von Krebs mehr!* Nun konnte ich aus eigener Erfahrung bestätigen, *dass Krankheiten heilbar sind, wenn wir bereit sind, unsere Art zu denken, zu glauben und zu handeln zu verändern!*

Manchmal erweist sich etwas, was zunächst wie eine Tragödie erscheint, als das Beste, was uns im Leben je passiert ist. Ich habe aus dieser Erfahrung enorm viel gelernt und gelangte zu einer ganz neuen Wertschätzung für das Leben. Ich fand heraus, was mir im Leben wirklich wichtig war, und beschloss endlich, die baumlose Stadt New York und ihr extremes Wetter zu verlassen. Einige meiner Klienten beharrten zwar darauf, dass sie »sterben« würden, wenn ich sie allein zurückließ, aber ich versprach, dass ich zweimal jährlich zurückkehren würde, um mich von ihren Fortschritten zu überzeugen... und außerdem konnten sie mich ja weiterhin telefonisch erreichen.

Ich beendete also meine Arbeit in New York und machte eine sehr angenehme Bahnreise nach Kalifornien. Dort entschied ich mich für Los Angeles als geeigneten Ort für einen Neubeginn. Obwohl ich dort vor vielen Jahren das Licht der Welt erblickt hatte, kannte ich fast niemanden mehr außer meiner Mutter und meiner Schwester, die beide ungefähr eine Stunde entfernt am Stadtrand wohnten. Wir hatten uns nie besonders nahegestanden, aber ich war doch sehr betroffen, als ich erfuhr, dass meine Mutter seit einigen Jahren erblindet war und niemand es für wichtig erachtet hatte, mich darüber zu informieren. Meine Schwester hatte angeblich keine Zeit, mich zu treffen, also ließ ich sie in Ruhe und richtete mir mein neues Leben ein.

Mein kleines Buch *Heile Deinen Körper* öffnete mir viele Türen. Ich besuchte so ziemlich jede New-Age-Veranstaltung, von der ich erfuhr. Dort stellte ich mich vor und drückte den Leuten, wenn mir das angebracht erschien, ein Exemplar meines Buches in die Hand. In den ersten sechs Monaten fuhr ich oft an den Strand, denn ich wusste, dass ich für solche erholsamen Aktivitäten weniger Zeit finden würde, wenn ich wieder stark beschäftigt war. Langsam fanden sich neue Klienten ein. Man bat mich immer häufiger, Vorträge zu halten.

Los Angeles nahm mich freundlich auf, und die Dinge entwickelten sich. Nach ein paar Jahren konnte ich es mir leisten, in ein schönes Haus umzuziehen.

Meine neue Lebensweise in Los Angeles bedeutete einen großen Schritt weg von dem engen Bewusstsein meiner frühen Jugend. Alles lief jetzt wirklich gut für mich. Wie schnell sich unser Leben vollkommen verändern kann!

Eines Abends rief mich meine Schwester an. Es war seit zwei Jahren das erste Mal, dass ich wieder etwas von ihr hörte. Sie erzählte, dass unsere Mutter, inzwischen neunzig und beinahe taub, gestürzt war und sich das Rückgrat gebrochen hatte. Von einem Moment zum anderen hatte sich meine Mutter von einer starken, unabhängigen Frau in ein hilfloses, von Schmerzen gepeinigtes Kind verwandelt.

Sie brach sich das Rückgrat und zugleich brach sie auch die Mauer des Schweigens zwischen meiner Schwester und mir auf. Endlich redeten wir drei wieder miteinander. Ich fand heraus, dass meine Schwester ebenfalls unter sehr schmerzhaften Rückenbeschwerden litt, die sie beim Sitzen und Gehen stark behinderten. Sie litt im Stillen, und obwohl sie magersüchtig aussah, wusste ihr Mann nicht, dass sie krank war.

Nachdem meine Mutter einen Monat im Krankenhaus verbracht hatte, wurde sie nach Hause entlassen. Aber sie konnte sich nun nicht mehr selbst versorgen, und daher zog sie zu mir.

Obwohl ich großes Vertrauen in das Leben hatte, wusste ich nicht, wie ich das alles bewältigen sollte. Also sagte ich zu Gott: »Okay, ich werde mich um sie kümmern, aber du musst mir dabei helfen, und du musst auch für genug Geld sorgen!«

Es war für meine Mutter und mich nicht leicht, uns aufeinander einzustellen. Sie traf an einem Samstag ein, und am folgenden Freitag musste ich für vier Tage nach San Francisco verreisen. Ich konnte sie nicht allein lassen, aber ich musste fahren. Ich sagte: »Gott, regele du das. Bevor ich fahre, muss ich die richtige Person finden, die uns hilft.«

Am nächsten Donnerstag war die dafür ideale Person einfach »aufgetaucht«. Sie zog bei uns ein, um für meine Mutter und mich den Haushalt in Ordnung zu halten. Wieder einmal bestätigte sich eine meiner Grundüberzeugungen: »Was immer ich wissen muss, wird mir offenbart, und was immer ich brauche, kommt in göttlicher Ordnung zu mir.«

Mir wurde klar, dass ich wieder einmal eine wichtige Lektion zu lernen hatte. Hier bot sich mir eine Gelegenheit, eine Menge seelischen Müll aus meiner Kindheit wegzuräumen.

Meine Mutter war nicht in der Lage gewesen, mich in meiner Kindheit zu beschützen; doch ich konnte und würde jetzt für sie sorgen. Und zwischen meiner Mutter und meiner Schwester begann ein völlig neues Abenteuer.

Eine weitere Herausforderung für mich bestand darin, meiner Schwester die Hilfe zu geben, um die sie bat. Ich erfuhr, was geschehen war, nachdem ich damals vor so vielen Jahren meine Mutter gerettet hatte: Mein Stiefvater hatte seine ganze Wut und seinen Schmerz an meiner Schwester ausgelassen, die von da an zur Zielscheibe seiner Brutalität geworden war. Ihre Rückenbeschwerden hatten als physisches Problem begonnen, waren aber durch ihre Angst und innere Anspannung und den Glauben, niemand könne ihr helfen, erheblich verschlimmert worden.

Hier war ich also, wollte keine Retterin sein, aber meiner Schwester trotzdem die Möglichkeit geben, sich an diesem Punkt ihres Lebens für persönliches Wohlbefinden zu entscheiden. Langsam begann der Prozess der Heilung und des Auflösens alter Blockaden. Er dauerte bis zu ihrem Lebensende an. Wir gingen dabei Schritt für Schritt vor. Ich bemühte mich, eine Atmosphäre der Sicherheit für sie zu schaffen, in der wir verschiedene Heilmethoden ausprobieren konnten.

Meine Mutter reagierte dagegen sehr gut. Sie machte, so gut es ging, viermal täglich krankengymnastische Übungen, wodurch ihr Körper wieder kräftiger und beweglicher wurde. Ich besorgte ihr ein Hörgerät, das es ihr ermöglichte, wieder interessierter am Leben teilzunehmen. Es gelang mir, sie trotz ihres Glaubens an die Christliche Wissenschaft dazu zu überreden, sich am grauen Star operieren zu lassen. Was für eine Freude war es für sie, wieder sehen zu können, und für uns, die Welt mit ihren Augen zu sehen! Sie war sehr froh, wieder lesen zu können.

Meine Mutter und ich fanden die Zeit, zusammenzusitzen und zu reden, wie wir es vorher nie getan hatten. Ein neues Verständnis entwickelte sich zwischen uns. Wir wurden beide freier, indem wir zusammen weinten und lachten und uns umarmten. Natürlich berührte sie gelegentlich bei mir einige wunde Punkte, aber wenn ich mich dann über sie ärgerte, zeigte mir das nur, dass es in mir noch Dinge gab, die ich loslassen und auflösen musste.

* * *

Meine Mutter hat vor einigen Jahren in Frieden den Planeten verlassen. Ich vermisse sie und liebe sie. Wir haben einander gegeben, was wir konnten, und jetzt sind wir beide frei.

Nachwort

Man glaubt es kaum, dass 25 Jahre vergangen sind, seit ich *Gesundheit für Körper und Seele* schrieb. Inzwischen ist dieses Buch in 42 Sprachen übersetzt worden. In mehr als 132 Ländern ist es erhältlich und hat bislang eine Gesamtauflage von über 35 Millionen erreicht.

Als ich das Buch damals schrieb, bestand meine ursprüngliche Vision darin, dass ich ein größeres Publikum als in meinen Workshops erreichen und möglichst vielen Menschen dabei helfen wollte, ihr Leben zum Besseren zu verändern. Ich ahnte nicht, dass das Universum diese Vision in einem solchen Ausmaß verwirklichen und ich derartig viele Menschen erreichen würde. Das Leben schien damals buchstäblich zu sagen: »Dieses Buch muss hinaus in die Welt. Es muss allen Menschen zugänglich gemacht werden.« Ich denke, der Erfolg von *Gesundheit für Körper und Seele* ist darauf zurückzuführen, dass ich Menschen, die ihr Leben ändern möchten, keine Schuldgefühle einrede, sondern ihnen wirkungsvoll dabei helfe, die notwendigen Veränderungen vorzunehmen und Selbstliebe zu erlernen. Auch dass meine Botschaft einfach und leicht zu verstehen ist, hat gewiss dazu beigetragen, ihr bei Menschen aus vielen unterschiedlichen Kulturkreisen zum Erfolg zu verhelfen.

Auf einer Buchmesse in Los Angeles lernte ich einen Buchhändler aus Nepal kennen, der mir berichtete, dass meine Bücher in seinem Geschäft in Kathmandu echte Bestseller sind. Seine Visitenkarte liegt auf meinem Schreibtisch, um mich daran zu erinnern, wie außergewöhnlich meine Verbundenheit zu Menschen überall auf der Welt ist. Und Monat für Monat erreichen mich über das Internet massenweise E-Mails. Viele dieser Briefe stammen von jungen Leuten, die heute meine Botschaft genauso wichtig und heilsam finden wie meine ersten Leser vor 25 Jahren.

So viel ist im Lauf der Jahre geschehen: Sechseinhalb Jahre lang arbeitete ich mit Aidskranken. Wir begannen zunächst mit einer Gruppe von sechs Männern, die sich bei mir zu Hause trafen. Innerhalb weniger Jahre entwickelte sich daraus ein wöchentliches Treffen mit über 800 Teilnehmern, das wir den »Hayride« nannten. Für mich war das eine Zeit intensiven persönlichen Wachstums – eine ständige Herausforderung, meine Grenzen zu überschreiten und mein Herz zu öffnen. Diese Erfahrungen werden mir für immer unvergesslich sein. Die *Hayride Support Group* in West Hollywood existierte noch einige Zeit weiter, nachdem ich aus der Stadt aufs Land gezogen war.

Kurze Zeit nach dem Erscheinen des Buches ging ich mit einigen der *Hayride*-Mitglieder in die *Oprah*-Show, um den Zuschauern positive Botschaften zum Thema Aids zu vermitteln. In der gleichen Woche trat ich mit Dr. Bernie Siegel in der Sendung *Donahue* auf. *Gesundheit für Körper und Seele* stand vierzehn Wochen lang auf der Bestsellerliste der *New York Times*. Ich kam aus dem Staunen nicht heraus, welche Wendungen mein Leben nahm und welche Türen sich für mich öffneten. Lange Zeit arbeitete ich täglich zehn Stunden, an sieben Tagen in der Woche.

Das Leben verläuft in Zyklen. Es gibt eine Zeit, in der man sich mit aller Kraft einer bestimmten Aufgabe widmet, und dann kommt eine Zeit, neue Ufer anzusteuern. Viele Jahre lang war es eine ständige Freude für mich, in meinem eigenen Garten zu arbeiten, Kompost herzustellen und die Erde organisch zu düngen. Auf gesunder Erde wachsen wirklich spektakuläre Blumen und Früchte. Ich baute einen großen Teil meiner Nahrung selbst an. Dann zog ich in die Stadt, nach San Diego, und wohnte eine Zeit lang in einem Hochhaus. Ich dachte, die Terrasse meiner Wohnung dort würde meinen gärtnerischen Ansprüchen genügen, aber das erwies sich als Irrtum. Jetzt wohne ich wieder auf dem Land und verbringe jede freie Minute damit, die Erde umzugraben, zu pflanzen und köstliches Obst und Gemüse zu ernten. Es gibt nichts Schmackhafteres und Gesünderes als frisch gepflückte Lebensmittel.

Die Malerei stand sehr lange auf meiner Wunschliste, und immer wieder unternahm ich einige Anläufe und besuchte Kurse. Zwei wundervollen Lehrerinnen verdanke ich es, dass ich auf diesem Gebiet große Fortschritte machte: Lynn Hays,

die mir beibrachte, große Porträts in Öl zu malen; und Linda Bounds, die nicht nur mich inspiriert, sondern außerdem Alzheimer-Patienten dazu ermutigt, an Malgruppen teilzunehmen, wo sie alle gemeinsam an einem großen Bild arbeiten. Lindas Malkurse sind die einzigen Zeiten, in denen diese Patienten wieder normal sprechen. Die Malerei hat ganz sicher meinen kreativen Horizont und den vieler anderer Menschen enorm erweitert!

In den vergangenen zwanzig Jahren habe ich mehrere Tiere gerettet. Zu jedem dieser Tiere habe ich gesagt: »An dem, was du in der Vergangenheit durchmachen musstest, kann ich nichts ändern. Aber ich verspreche dir, dass du für den Rest deines Lebens Liebe und Fürsorge erfahren wirst.« Sie alle sind bei mir in Frieden alt geworden und inzwischen in die andere Dimension weitergereist. Meine Intuition sagt mir, dass ich im Moment keine weiteren Tiere halten soll, weil ich dann frei in der Welt umherreisen kann. Außerdem sind meine Nachbarn zur Rechten und zur Linken Hundebesitzer, sodass immer Gelegenheit ist, Zeit mit Tieren zu verbringen, wenn ich das gerne möchte.

Früher gab es nur wenige Menschen, die eine ähnliche Arbeit wie ich taten. Heute dagegen gibt es so viele gute Lehrer, dass ich nicht mehr den persönlichen Drang ver-

spüre, die ganze Menschheit retten zu wollen. Ich habe über 25 Bücher geschrieben und zahlreiche Audiokassetten und Videos produziert. Damit steht den Leuten eine große Menge an Lehrmaterial zur Verfügung. Vorträge halte ich heute nur noch sehr selten. Ich arbeite jetzt lieber hinter den Kulissen, indem ich neue Autoren und begabte Lehrer unterstütze.

In diesem Jahr (2008) gab es eine weitere Premiere für mich. Ich drehte meinen ersten Film! In der Filmindustrie bekommen viele Frauen schon mit 35 keine Rollen mehr, weil man sie für zu alt hält. Ich dagegen bekam mit 81 meine Chance, Filmstar zu werden. Im Lauf der Jahre wollten schon mehrere Leute meine Lebensgeschichte verfilmen, aber ich hatte nie das Gefühl, dass sie die Richtigen für diese Aufgabe waren. Dann, im Jahr 2007, führte das Leben mich mit dem Regisseur Michael Goorjian zusammen. Ich schaute in seine gütigen Augen und sah sein sanftes Lächeln, und da sagte mein Herz: Ja, das ist er!

Obwohl meine Art des Denkens Neuland für Michael und den Filmemacher Noah Veneklasen war, wusste ich, dass die Dreharbeiten und die anschließende Arbeit im Schneideraum ihnen die Zeit geben würde, sich mit meinen Ideen vertraut zu machen. Nicht nur wurde *You Can Heal Your*

355

Life – Der Film ein Erfolg, sondern alle, die an der Produktion mitwirkten, erlebten viele positive Veränderungen in ihrem eigenen Leben.

Bücher zu lesen ist gut, aber wenn man sich einen Film anschaut, entfaltet die Botschaft eine noch tiefer gehende Wirkung. Ich habe unzählige Briefe erhalten, in denen man mir berichtet, welche positive Wirkung der Film im Leben vieler Menschen entfaltet. Der dramatischste Brief stammt von einem Mann, der fünf Jahre in einem japanischen Inter-

nierungslager verbrachte. Nachdem er den Film angeschaut hatte, war er endlich in der Lage, den Menschen zu vergeben, die ihn damals gefangen hielten, und sich von der Verbitterung zu befreien, die er so viele Jahre in sich getragen hatte.

Das Interesse an dem Film ist enorm, und ich zeichnete zwei Fernsehsendungen mit *Oprah* auf, in denen ich über das Buch und den Film sprach. Nachdem mein Buch ja schon einmal vierzehn Wochen auf der Bestsellerliste der *New York Times* gestanden hatte, steht es heute erneut auf dieser Liste – 22 Jahre später, das ist praktisch noch nie vorgekommen.

Seinerzeit gründete ich den Verlag Hay House, um *Gesundheit für Körper und Seele* im Selbstverlag herauszubringen. Ich konnte mir damals nicht vorstellen, dass einer der großen Verlage das Buch veröffentlicht hätte, weil die darin vertretenen Ansichten als zu radikal galten. Zu der Zeit gab es in den Buchhandlungen noch keine eigenen Regale zum Thema Lebenshilfe.

Heute dagegen sind mehr als die Hälfte der Titel, die auf der Bestsellerliste der *New York Times* stehen, Lebenshilfebücher. Wie sehr sich das Bewusstsein der Menschen inzwischen gewandelt hat! Es ist ein gutes Gefühl, zu den frühen Pionieren gehört zu haben, die als Erste die Botschaft verbreiteten, dass wir alle die Fähigkeit besitzen, die Verbesserung unserer Lebensqualität selbst in die Hand zu nehmen.

Heute ist Hay House einer der weltweit führenden Verlage auf dem Gebiet der Selbst- und Lebenshilfe und des Körper/Geist/Seele-Themenkreises. Wir unterhalten Niederlassungen in Australien, England, Südafrika, Indien und New York. Diese Entwicklung hat alle meine kühnsten Träume übertroffen. Am Anfang wollte ich lediglich den Menschen helfen, die ich nicht persönlich über meine Seminare erreichen konnte.

Ich glaube fest, dass das Universum selbst die Geschicke von Hay House gelenkt hat: Wenn wir neue Bücher herausbringen, handelt es sich stets um Werke, die den Menschen dabei helfen, ein besseres Leben zu führen. Ich liebe es, vielversprechende junge Autoren zu fördern, deren Bücher den Lesern neue Perspektiven eröffnen.

Zu meiner Freude haben sich ausgezeichnete Menschen gefunden, die Hay House in meinem Sinne leiten. Verlagsleiter Reid Tracy ist für mich und das Unternehmen von unschätzbarem Wert. Sein Wissen und Weitblick haben bewirkt, dass meine Botschaften und die unserer anderen glänzenden Autoren heute überall auf dem Planeten gelesen werden können. Auch Shelley Anderson, meine persönliche Assistentin, leistet unschätzbare Dienste. Ich liebe die Mitarbeiterinnen und Mitarbeiter im Lektorat, dem Layout, der PR-Abteilung, dem Kundenservice, dem Marketing, der Buchhaltung und der Radio-Abteilung ebenso wie jene, die in Warenlager und Logistik tätig sind. Sie alle zusammen bilden die wunderbare Mischung unserer Hay-House-Familie, die uns alle so erfolgreich macht. Ich bin überzeugt, dass wir unsere besondere Mischung aus Lebenshilfe und Information noch lange in der Welt verbreiten werden – und damit zum Wohlergehen aller beitragen, die damit in Kontakt kommen.

Ein Astrologe hat mir früher einmal gesagt, dass es in meinem Geburtshoroskop eine Konstellation gibt, die besagt, dass ich vielen, vielen Menschen im direkten, persönlichen Gespräch helfen würde. Natürlich war vor 81 Jahren der Kassettenrekorder noch nicht erfunden. Aus damaliger

Sicht wäre dieses Horoskop also schwer zu deuten gewesen. Doch dank der Wunder der Technik begleitet der Klang meiner Stimme heute jeden Abend Tausende von Menschen auf Kassette (oder inzwischen auf CD). Meine Stimme kann also überall auf der Welt Menschen in den Schlaf geleiten!

Das führt dazu, dass viele Leute, denen ich noch nie begegnet bin, das Gefühl haben, mich zu kennen, weil wir so viele vertraute Momente miteinander verbracht haben. Zu den wundervollen Resultaten meiner Arbeit gehört es, dass ich fast überall, wo ich hinreise, liebevoll begrüßt und empfangen werde. Die Menschen betrachten mich als eine alte Freundin, die ihnen in vielen schwierigen Augenblicken geholfen hat.

* * *

Auch möchte ich gerne meine Gedanken über das Altern mit Ihnen teilen. Ganz gleich, wie alt wir sind, es ist nie zu spät, uns von Ballast zu befreien und neue Möglichkeiten zu entdecken. Lassen Sie mich von einem meiner Durchbrüche berichten.

Vor fünf Jahren, als ich 76 wurde, beschloss ich, etwas auszuprobieren, wovor ich mich immer gefürchtet hatte: Ich nahm an einem Tanzkurs teil. Schon seit meiner Kindheit hatte ich immer gerne tanzen wollen, jedoch nie den Mut gefunden, diesen Wunsch in die Tat umzusetzen. Schon vor vielen Jahren hatte ich mir gesagt: »Im nächsten Leben werde ich Tänzerin sein, doch in diesem ist es dafür zu spät.« So viel zum Thema negative Affirmationen.

Dann kam ich eines Tages an einem Tanzstudio vorbei, das mit dem Slogan »Tanzen lernen – Schritt für Schritt« warb. Ein Schritt nach dem anderen, dachte ich mir, auf diese Weise könnte vielleicht sogar ich es schaffen. Dann dachte ich: Ein paar Jahre wird dieses Leben bestimmt noch dauern, warum soll ich also bis zum nächsten warten? Und so begann für mich eine neue Ära.

Die ersten beiden Monate ging ich durch die Hölle. Jeden Mittwochnachmittag fürchtete ich mich vor der Tanzstunde, aber mir war klar, dass ich ganz einfach durchhalten musste. Während der ersten Stunde hielt ich, glaube ich, die ganze Zeit den Atem an. All der kindische emotionale Müll, der immer noch in mir schlummerte, kam zum Vorschein: Scham, Unsicherheit, die Angst, mich lächerlich zu machen – mein Körper wurde davon regelrecht überschwemmt. Ich schaffte es nicht einmal, eine passende Affirmation zu finden, um dem Einhalt zu gebieten.

Eine meiner Lehrerinnen sagte schließlich: »Louise, ich sehe, wie ängstlich du bist. Woher kommt diese Angst?« Ich konnte diese Frage nicht sofort beantworten. Aber später am Abend dachte ich ernsthaft darüber nach, und die Antwort lautete, dass ein Teil von mir überzeugt war, ich würde einen Schlag ins Gesicht bekommen, wenn ich beim Tanzen etwas »falsch« machte. Das zu erkennen, löste bei mir einen ziemlichen Schock aus. Da war ich inzwischen 76 Jahre alt geworden, und das kleine Kind in mir fürchtete sich noch immer davor, geohrfeigt zu werden!

Als ich in der nächsten Tanzstunde meiner Lehrerin von diesem Durchbruch erzählte, füllten sich ihre Augen mit Tränen. Und das war der Wendepunkt für mich. Die ganzen negativen Gefühle lösten sich auf. Endlich konnte ich mich ganz auf meine Schritte konzentrieren. Heute, fünf Jahre später, liegen viele Einzel- und Gruppenstunden hinter mir, und das Tanzen ist für mich zu einem großen Vergnügen geworden. Ich gehe oft tanzen. Also, Ihr Lieben, wenn ich das kann, dann könnt Ihr es auch! Es ist nie zu spät, etwas Neues zu lernen.

Je älter ich werde, desto wichtiger wird eine gesunde Lebensweise für mich. Meine Ernährung ist einfach: Eiweiß, Gemüse und etwas Obst. Ich bin heute keine Vegetarierin mehr, war es aber lange Zeit. Auf jeden Fall esse ich sehr viel Gemüse. Weizen, Milchprodukte, Zucker, Mais, Zitrusfrüchte, Bohnen und Koffein nehme ich nur noch in seltenen Ausnahmefällen zu mir. Auch achte ich mehr als früher auf ausreichende Bewegung. Im Alter von 75 Jahren habe ich begonnen, dreimal pro Woche Yoga zu betreiben. Dadurch bin ich heute gelenkiger als in meiner Kindheit. Außerdem nehme ich Pilates-Trainingsstunden und dreimal in der Woche walke ich eine Stunde. Das alles hilft mir, mich körperlich in Form zu halten.

Im Oktober 2007 feierte ich meinen achtzigsten Geburtstag. Was war das für ein Fest! Die ganze Hay-House-Familie von Mitarbeitern und Autoren war da, alle, die ich liebe und bewundere, und auch viele meiner persönlichen Freunde. Ich wandte mich an die Gästeschar und verkündete, dass

das kommende Jahrzehnt das beste meines Lebens werden würde. Alle freuten sich, das zu hören. Ich bekam sogar eine spezielle Louise-Hay-Rose geschenkt. Es ist wunderbar, dass eine Rose nach mir benannt wurde! Das berührte mich tief, denn noch lange, wenn ich nicht mehr bin, wird diese Freude gegenwärtig bleiben. Ihr Rosenliebhaber, von dieser Züchtung sind noch Exemplare erhältlich! Auch wurde mir eine nach mir benannte Orchidee geschenkt, eine gelbe Cymbidium. Sie ist allerdings nur für Interessenten in Südkalifornien erhältlich, die sie im Freien anpflanzen können. Dieser Abend war ein großartiger Auftakt für mein neuntes Lebensjahrzehnt.

Wer weiß, was die nächsten zwanzig Jahre für mich bringen werden? Ich habe noch einige Pläne. Doch das Leben ist so viel weiser als ich. Als Lehrerin möchte ich mich der Frage zuwenden, wie wir das Sterben zu einer freudvollen Erfahrung machen können. Was den Tod angeht, hegen wir so viele negative Glaubenssätze. Doch in Wahrheit handelt es sich um einen völlig normalen und natürlichen Vorgang. Wir werden alle geboren und sterben. Warum haben wir solche Angst vor dem Tod? Wir hatten schließlich auch keine Angst davor, geboren zu werden. Gegenwärtig glaube ich, dass unser Sterben dann leicht und glücklich sein wird, wenn wir zuvor ein glückliches, erfülltes Leben geführt haben. Ich werde diese Frage genauer erforschen und Ihnen dann berichten, was ich herausgefunden habe.

Alles ist gut. Das Leben ist wundervoll.

Louise L. Hay

Louise L. Hay

Im Frühjahr 2008

In der Unendlichkeit des Lebens, dort, wo ich bin,
ist alles heil und vollkommen.

∗

Jeder von uns, ich eingeschlossen,
erlebt die Reichhaltigkeit und Fülle des Lebens
auf für ihn bedeutungsvolle Weise.

∗

Ich betrachte jetzt die Vergangenheit
mit Liebe und habe mich entschieden,
aus meinen alten Erfahrungen zu lernen.

∗

Es gibt kein Richtig oder Falsch, kein Gut oder
Schlecht. Die Vergangenheit ist vorbei und erledigt.

∗

Es gibt nur die Erfahrung des Augenblicks.
Ich liebe mich, weil ich mich selbst durch die
Vergangenheit in diese Gegenwart gebracht habe.

∗

Ich teile, was und wer ich bin, mit anderen,
denn ich weiß, dass wir im Geist alle eins sind.

∗

Alles ist gut in meiner Welt.

Tief im Innern meines Wesens ist eine unerschöpfliche Quelle der Liebe

Nun erlaube ich dieser Liebe, an die Oberfläche zu fließen. Sie erfüllt mein Herz, meinen Körper, meinen Verstand, mein Bewusstsein – mein ganzes Sein. Sie strahlt von mir aus in alle Richtungen und kommt vielfach vermehrt zu mir zurück. Je mehr Liebe ich lebe und gebe, je mehr habe ich zu geben, der Vorrat ist endlos. Die Liebe, die ich lebe, gibt mir ein *Wohlgefühl*, welches Ausdruck meiner inneren Freude ist. Ich liebe mich – darum kümmere ich mich liebevoll um meinen Körper. Liebevoll ernähre ich ihn mit wohltuenden Speisen und Getränken. Liebevoll pflege und kleide ich ihn. Und mein Körper antwortet mir liebevoll mit springlebendiger Gesundheit und Energie. Ich liebe mich – darum besorge ich mir ein schönes Zuhause, eines, das alles Nötige hat und in dem es ein Vergnügen ist zu sein. Ich fülle die Räume mit den Schwingungen der Liebe, sodass alle, die sie betreten – ich inbegriffen –, diese Liebe fühlen und davon genährt werden. Ich liebe mich – darum habe ich eine Arbeit, die ich wirklich gern tue, eine, die meiner Veranlagung und Kreativität entspricht, eine Arbeit mit und für Menschen, die ich liebe und die mich lieben, eine Arbeit, für die ich einen guten Lohn erhalte. Ich liebe mich – darum gehe ich in liebevoller Weise mit allen Menschen um, wissend, dass das, was ich gebe, vielfach vermehrt zu mir zurückkehrt. Ich ziehe nur liebevolle Menschen an, da sie ein Spiegel sind für das, was ich bin. Ich liebe mich – darum weine ich der Vergangenheit nicht nach und lasse alle vergangenen Erfahrungen los. Und ich bin frei. Ich liebe mich – darum lebe ich ganz im *Jetzt*, erlebe jeden Augenblick als gut, wissend, dass meine Zukunft hell ist, freudvoll und sicher, und so bin ich ein geliebtes Kind des Universums, und das Universum nimmt sich liebevoll meiner an, jetzt und für immer. Und so sei es.

Abdruck aus *Heile Deinen Körper*
von Louise Hay
Copyright © by Verlag Alf Lüchow

Die Übungen auf einen Blick

Register

Augen 230, 270f., 325
Augenprobleme 230,
270–273
Ausgeglichenheit 20
Auswirkungen, äußere 40,
52f., 75

B
Bachs Blütenmedizin
158
Bandscheibenvorfall
272f.
Bandwurm 272f.
Barker,
Dr. Raymond Charles 81
Bauchkrämpfe 272f.
Bauchspeicheldrüse 272f.
– Entzündung der 272f.
Becken 329
Bedürfnis
– Lösung vom 122–125
– nach Gewohnheit 110
– nach Widerstand 112
Beeinflussung 68f.
– durch Fehlinforma-
tion 69
– durch Geschwister 68
– durch Lehrer 68
Befreiung, körperliche
130f.
Beine 251, 274
Beinprobleme 251, 274
Bettnässen 274

Bewusstsein
– als Lernhilfe 125,154
– Kontrolle des 151
– Training des 148f.
– Veränderung des 82,
198f.
Bewusstseinserweiterung
176
Bewusstseinsstörung 233
Beziehungen, persönliche
23, 185–189
– Aufbau von 74
– unbefriedigende 32, 77
– zu den Eltern 23, 185
Beziehungsprobleme 41,
56, 110
Bindehautentzündung
s. Augenprobleme
Bioenergetik 159
Blähungen 274f.
Bläschenausschlag 246,
274f.
Blase 329
Blasenentzündung 274f
Blasenprobleme 241, 244,
274f.
Blinddarmentzündung
274f.
Blut 274f.
– gerinnendes 274f.
Blutdruck 274f.
Blutprobleme 274f.
Blutung 276f.

Erfahrungen 19f.
- Schaffen von 24, 123
- Verantwortung für 28
- zukünftige 41
Erfolg 196f., 203–207
Erfolgsaffirmationen
105f.
Erfolgsverhalten 204
Erkältungen 233, 280f.
Ermüdung 280f.
Ernährung 91f., 158
- Ratschläge zur Änderung der 91
Erstickungsanfälle 280f.

F
Fehlgeburt 280f.
Feldenkrais 159
Fett 280f.
Fieber 157, 280f.
Finger 235, 280f., 328
- arthritischer 280f.
- kleiner 280f.
Fistel 282f.
Flüssigkeitsansammlungen 282f.
Frauenleiden 282f.
Freude, Freuen 220, 224
Frieden 20
Frigidität 244, 282f.
Frösteln 282f.
Frustration 19, 86, 229
Furunkel 256, 282f.

Füße 252, 282f., 329
- wunde 28
Fußpilz 282f.
Fußprobleme 282f.
Fußreflexzonenmassage
159

G
Gallensteine 282f.
Gangrän 282f.
Gastritis 282f.
Gebärmutter 284f.
Gebet 90, 160
Geburtsdefekte 284f.
Gedächtnisschwund
284f.
Gedanken 19, 25f.
- Auswahlmöglichkeit
der 20
- einengende 102, 211f.
- Kontrolle der 127ff.
- negative 25f., 54, 148,
150,174, 198f.
- Lösung von 30, 150f.
- positive 25f., 211
- Prüfung der 73ff.
- Veränderung der 25,
87
Gedankenmuster, innere
40f., 46, 75f., 80f., 93,
113f.
- Änderung der 155
- neue 228

371

ThetaHealing™ – Die revolutionäre neue Heilmethode

VIANNA STIBAL
Theta Healing
Die Heilkraft der Schöpfung
416 Seiten
€ [D] 12,99 / € [A] 13,40
sFr 21,90
ISBN 978-3-548-74519-0

Die revolutionäre neue Heilmethode aus den USA

beruht auf dem Theta-Zustand des Gehirns, einer im EEG nachweisbaren Gehirnwellenkurve, die im Zustand tiefer Entspannung und bei Hypnose auftritt. In Verbindung mit einem fokussierten Gebet – zu keinem religionsspezifischen Gott – und einer klaren Vorstellung der Heilungsabsicht entsteht dabei ein Heilprozess, der unmittelbar auf die Zellen wirkt und den von der DNA vorgegeben natürlichen Zustand des Körpers wieder herstellt.

Die Selbstanwendung der Energetischen Medizin

UWE ALBRECHT
Heilapotheke
Werde Dein eigener Heiler
316 Karten,
€ [D] 29,99
€ [A] 30,90, sFr 49,90
ISBN 978-3-7934-2212-9

Inner Wise® ist ein einzigartiges neues System der energetischen Medizin, das hilft, die richtige Energie zur energetischen Balancierung zu finden und für den Selbstheilungsprozess zu aktivieren. Mit Hilfe der unter Anleitung der Testkarten gezogenen Heilsinfonie-Kärtchen lässt sich über einen Nummern-Code im Begleitbuch eine bestimmte Heilenergie finden. Diese Energie wird auf das beiliegende Amulett übertragen und entfaltet von dort im Sinne der energetischen Medizin ihre Wirkung. Das Amulett hat keine »magische« Bedeutung, sondern ist ein autosuggestiver Anker, wie er in verschiedenen Therapien Anwendung findet.